I MITI

Rosamunde Pilcher

Rosamunde Pilcher

I GIORNI DELL'ESTATE

Traduzione di Amina Pandolfi

MONDADORI

http://www.mondadori.com/libri

ISBN 88-04-49208-2

I giorni dell'estate

1

Per tutta l'estate il clima era stato pesante, il cielo coperto, il sole velato dalle nebbie marine che dal Pacifico si rovesciavano senza posa sulla costa. Ma poi, in settembre, come spesso avviene in California, le nebbie si erano ritirate verso l'oceano, indugiando al limite dell'orizzonte come una lunga ferita livida e sottile.

Nell'interno, oltre la fascia costiera, le grandi distese di terreno coltivato, cariche di messi, di frutti maturi, grano, carciofi e grosse zucche color arancione, si cuocevano al sole. Piccoli agglomerati di case schiacciati dalla calura sonnecchiavano, grigi e polverosi come tarme. La pianura, ricca e fertile, si stendeva verso est fino a toccare le colline della Sierra Nevada, ed era tagliata dalla grande autostrada di Camino Real, che univa, da nord a sud, San Francisco a Los Angeles, brulicante dello scintillio del metallo bollente di milioni di automobili.

Durante i mesi estivi, la spiaggia era rimasta quasi deserta, poiché Reef Point è l'ultima località della baia, e solo di rado meta di gitanti occasionali. Innanzitutto la strada non era asfaltata, era malsicura e assai poco invitante; inoltre La Carmella, una pic-

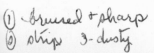

cola località turistica con graziose strade alberate, un esclusivo country club e impeccabili motel, si trovava appena al di là della punta e, chiunque avesse un po' di buon senso e qualche dollaro da spendere, si recava laggiù. Soltanto gli avventurosi, quindi, o quelli senza un soldo in tasca, oppure i fanatici del surf, si arrischiavano a percorrere l'ultimo miglio, scivolando e rotolando lungo la carreggiata sporca e maltenuta che portava alla nostra grande baia deserta, spazzata dalle tempeste.

Ma ora, con il bel tempo caldo e gli enormi cavalloni ruggenti che si rovesciavano sulla spiaggia, il posto si riempiva di gente. Macchine di ogni tipo scendevano perigliosamente giù per la collina e andavano a parcheggiare all'ombra dei cedri, scaricando gitanti pronti per il picnic, campeggiatori, patiti del surf e intere famiglie di hippy stufe di stare a San Francisco e dirette al sud, verso il Nuovo Messico in cerca di sole, come altrettante specie di uccelli migratori. E i weekend portavano gli studenti dell'università di Santa Barbara, nelle loro vecchissime Volkswagen dipinte a fiori, piene di ragazze e cartoni di lattine di birra e sul tetto le coloratissime tavole da surf di Malibu. Si sistemavano a piccoli gruppi lungo tutta la spiaggia, saturando l'aria di voci, di risate e del profumo di olio solare.

E così, dopo settimane e mesi di assoluta tranquillità, improvvisamente ci trovavamo circondati da gente e da attività di ogni specie. Mio padre era completamente assorbito dal suo lavoro, nel tentativo di completare una sceneggiatura entro i termini fissati, ed era in uno stato d'animo impossibile. Senza che lui neppure si avvedesse di me, uscii per andare in spiaggia, portandomi la colazione (hamburger e Coca-Cola), un libro da leggere, un grande asciugamano per mettermi comoda e Rusty.

Rusty era un cane. Il mio cane. Un affarino marrone e lanoso privo di pedigree, ma dotato di grande intelligenza. Quando arrivammo qui per la prima volta, la primavera scorsa, non avevamo un cane e Rusty, dopo averci studiati a lungo, decise di mutare questo stato di cose. Così cominciò a starci attorno. Io lo cacciavo via, papà gli tirava dietro vecchi stivali, ma lui continuava a tornare, senza lasciarsi scoraggiare, per niente offeso, e si metteva a sedere a un paio di metri dal portico posteriore della casa, scodinzolando felice. Una mattina in cui faceva molto caldo, mi lasciai impietosire e gli diedi una ciotola d'acqua fresca da bere. Lui se la lappò fino all'ultima goccia poi tornò a sedersi, sorrise e riprese a scodinzolare. Il giorno seguente gli diedi un osso di prosciutto; lui lo prese educatamente fra i denti, lo ripulì e lo andò a seppellire e dopo cinque minuti era di ritorno. Sorridente. La coda sbatteva rumorosamente.

Mio padre uscì di casa, gli lanciò uno stivale, ma senza molta convinzione. Era semplicemente una dimostrazione formale di forza. Rusty lo sapeva e venne a sedersi un po' più vicino.

«A chi pensi appartenga?» domandai a mio padre.

«Dio solo lo sa.»

«Lui sembra convinto di appartenere a noi.»

«Ti sbagli» rispose papà. «Lui è convinto che siamo noi ad appartenergli.»

«Non sembra aggressivo e non ha neppure un cattivo odore.»

Papà alzò gli occhi dalla rivista che stava cercando di leggere. «Stai tentando di dirmi che vorresti tenere questo dannato coso?»

«È soltanto che non riesco a capire... non riesco a capire come potremmo liberarci di lui.»

«A meno di sparargli.» *shoot oneself*

«Oh, no, non lo fare.»

«Sarà pieno di pulci. Ci porterà le pulci in casa.»

«Gli comprerò un collare antipulci.» Papà mi guardò al di sopra degli occhiali. Vidi che stava per mettersi a ridere. Dissi: «Ti prego. Perché no? Mi terrà compagnia quando tu sei via».

Papà disse: «Va bene», così mi infilai un paio di scarpe, feci un fischio al cane e con lui mi avviai su per la collina, fino a La Carmella, dove c'è un veterinario molto alla moda. Aspettai il mio turno in una stanzetta piena di barboncini viziati, gatti siamesi e relativi proprietari e, quando finalmente il veterinario esaminò Rusty, lo dichiarò perfettamente sano, gli fece un'iniezione e mi indicò dove avrei potuto acquistare il collare antipulci. Così pagai il veterinario, andai a comperare il collare e infine ritornammo a casa. Quando entrammo, papà stava ancora leggendo la sua rivista, il cane aspettò educatamente in un angolo che qualcuno gli desse il permesso di sedere e alla fine si accomodò sul vecchio tappeto di fronte al caminetto spento.

Papà domandò: «Come si chiama?», e io risposi: «Rusty», perché una volta avevo posseduto una borsa per la camicia da notte a forma di cane che si chiamava Rusty e quello fu il primo nome che mi venne in mente.

Inserirlo in famiglia non fu un problema poiché sembrava ne avesse sempre fatto parte. Ovunque io andassi, Rusty mi seguiva. Adorava la spiaggia ed era spesso intento a dissotterrare splendidi tesori che portava a casa perché noi li ammirassimo. Vec-

spoiled poodle
to fit into

chi pezzi di bottiglie di plastica che galleggiavano sull'acqua, lunghe strisce ciondolanti di alghe. E qualche volta oggetti che ovviamente non aveva trovato sotto la sabbia. Una scarpa da ginnastica nuova fiammante, un asciugamano da bagno sgargiante e, un giorno, un pallone da spiaggia in cui aveva affondato i denti, che mio padre dovette ricomprare dopo che io ero riuscita a rintracciare il suo piccolo proprietario in lacrime. A Rusty piaceva immensamente nuotare e insisteva sempre per accompagnarmi e, anche se io nuotavo molto più in fretta di lui e andavo più lontano, lui cercava di starmi alle calcagna. Si poteva pensare che alla fine si sarebbe scoraggiato, ma lui non mollava.

Quel giorno eravamo stati a nuotare, era una domenica. Papà, finito per tempo il suo lavoro, era partito per Los Angeles per consegnare personalmente la sceneggiatura e Rusty e io ci tenevamo compagnia, dentro e fuori dall'acqua per tutta la giornata, raccogliendo conchiglie, giocando con un vecchio bastone trovato sul bagnasciuga. Ma ora l'aria si stava rinfrescando; mi ero rivestita e ci eravamo seduti fianco a fianco, con il sole all'orizzonte che ci accecava, a osservare gli ultimi surfisti. Erano in mare da tutta la giornata, ma pareva non dovessero stancarsi mai. In ginocchio sulle loro tavole, si facevano strada fra i cavalloni fino al mare aperto, nell'acqua verde. Lì stavano ad aspettare, pazienti, appollaiati contro la linea dell'orizzonte come tanti cormorani, in attesa che l'onda si gonfiasse, prendesse forma e cominciasse a rompersi. Sceglievano quella giusta e, quando l'acqua cominciava a incresparsi in un lungo orlo bianco di schiuma e si gonfiava tuonando, allora anche loro si muovevano, cavalcando l'ondata possen-

11

te, meravigliosamente in equilibrio, pieni dell'arroganza fiduciosa della gioventù. Rimanevano sulla cresta dell'onda fino a quando questa si infrangeva sulla sabbia, per poi discendere dalla tavola con disinvoltura, raccoglierla e ritornare di nuovo in mare, perché c'è sempre un'onda più bella che ti aspetta, più grande, più imponente da cavalcare e, quando il sole sta scendendo rapidamente nel mare, non c'è un solo attimo da perdere.

Un ragazzo in particolare aveva catturato la mia attenzione. Era biondo, i capelli tagliati cortissimi, molto abbronzato, i pantaloncini aderenti dello stesso azzurro intenso della sua tavola da surf. Era bravissimo, con uno stile e un'eleganza nei gesti che facevano apparire tutti gli altri goffi dilettanti. Ma ora, mentre lo stavo a guardare, lui sembrò averne abbastanza per quel giorno; cavalcò un'ultima onda, arrivò a terra con grazia impeccabile, staccò i piedi dalla tavola e, gettato uno sguardo al tramonto rosa sul mare, si voltò, raccolse la sua tavola e cominciò a risalire la spiaggia.

Distolsi lo sguardo. Lui venne verso di me, poi deviò di qualche metro, accostandosi al mucchietto di abiti ben ripiegati che lo aspettavano. Lasciò cadere la tavola azzurra e prese in cima al mucchietto una maglietta scolorita da college. Guardai nuovamente verso di lui e, quando la sua testa spuntò dallo scollo della maglietta, i nostri occhi si incontrarono. Sostenni il suo sguardo con fermezza.

Lui parve divertito. «Ciao» disse.

«Salve.»

Lui si sistemò bene addosso la maglietta e poi disse: «Sigaretta?».

«Grazie.»

Si chinò a prendere un pacchetto di Lucky Strike e un accendino da una tasca e venne verso di me. Fece saltare dal pacchetto una sigaretta, ne prese una per sé e poi le accese entrambe e, infine, si lasciò cadere al mio fianco, appoggiandosi all'indietro sui gomiti. Aveva le gambe, il collo e anche i capelli leggermente impolverati di sabbia, begli occhi azzurri e quello sguardo limpido e pulito che ancora si vede nei campus delle università americane.

Disse: «Sei stata seduta qui tutto il pomeriggio. Quando non eri in acqua».

«Lo so.»

«Perché non sei venuta a fare surf con noi?»

«Non ho una tavola da surf.»

«Dovresti comprartene una.»

«Non ho soldi.»

«Allora potresti fartene prestare una.»

«Non conosco nessuno che potrebbe prestarmi una tavola da surf.»

Il giovanotto corrugò la fronte.

«Sei inglese, vero?»

«Sì.»

«Qui in vacanza?»

«No. Vivo qui.»

«A Reef Point?»

«Sì.» Volsi la testa a indicare la fila di casette di legno scolorite appena visibile al di sopra delle dune sabbiose.

«Come mai vivi qui?»

«Abbiamo affittato una delle casette.»

«Tu e chi?»

«Io e mio padre.»

«Da quanto tempo abiti qui?»

«Da questa primavera.»

«Non passerai qui l'inverno?!»

Più che una domanda era un'affermazione. Nessuno passava l'inverno a Reef Point. Le casette non erano costruite per resistere alle bufere, la strada diventava impraticabile e le linee telefoniche talvolta si interrompevano. Spesso mancava persino la luce.

«Credo di sì. A meno che non si decida di spostarci altrove.» Il ragazzo corrugò di nuovo la fronte. «Siete degli hippy o qualcosa del genere?»

Consapevole del mio aspetto, molto gentilmente non mi risentii per quella domanda.

«No. Ma mio padre scrive sceneggiature per il cinema e cose per la tivù. Ma detesta talmente vivere a Los Angeles che... abbiamo affittato questa casetta.»

Parve incuriosito. «E tu, che cosa fai?»

Presi un pugno di sabbia e poi la lasciai scivolare lentamente fra le dita, granelli grossi e grigi.

«Non molto. Faccio la spesa, vuoto il secchio della spazzatura e tento di tenere la sabbia fuori di casa.»

«Questo è il tuo cane?»

«Sì.»

«Come si chiama?»

«Rusty.»

«Rusty. Ehi, Rusty, amico!» Rusty accolse le sue attenzioni con un cenno della testa che avrebbe fatto onore a un'altezza reale e poi riprese a fissare il mare.

Domandai: «Sei di Santa Barbara?».

«Già.» Ma il giovanotto pareva non avesse alcuna voglia di parlare di sé. «Da quanto tempo vivi negli Stati Uniti? Hai ancora un accento terribilmente britannico.»

Sorrisi cortesemente alla battuta che avevo già sentito tante, tante volte. «Da quando avevo quattordici anni. Sette anni.»

«In California?»

«Un po' dappertutto. New York. Chicago. San Francisco.»

«Tuo padre è americano?»

«No. Semplicemente gli piace vivere qui. Ci è venuto perché aveva scritto un romanzo che era stato acquistato da una casa cinematografica ed è andato a Hollywood per scrivere lui stesso la sceneggiatura.»

«Davvero? Ho mai sentito parlare di lui? Come si chiama?»

«Rufus Marsh.»

«Vuoi dire *Tell as the Morning*?» Annuii. «Mio Dio, l'ho letto dalla prima parola all'ultima quando ero ancora al liceo. Tutta la mia educazione sessuale l'ho tratta da quel libro.» Mi guardò con un interesse nuovo e io pensai che anche questa volta si stesse ripetendo la solita storia. Tutti erano gentili con me, mi trattavano amichevolmente, ma senza un vero interesse fino a quando non nominavo *Tell as the Morning*. Immagino che questo sia a causa del mio aspetto, perché ho gli occhi smorti come vecchie monetine e le ciglia piuttosto incolori e il mio viso non si abbronza, ma si copre di centinaia di enormi lentiggini. Inoltre sono troppo alta e ho una faccia ossuta. «Dev'essere un uomo molto speciale.»

Il suo viso aveva acquistato una nuova espressione, incuriosita, esprimeva domande che ovviamente era troppo ben educato per formulare.

"Se sei la figlia di Rufus Marsh, come è possibile che te ne stia qui su questa spiaggia abbandonata da Dio in uno degli angoli più sperduti della California, con indosso vecchi jeans rattoppati e una camicia da uomo conciata da buttar via e senza neppure quei pochi dollari che occorrono per comprare una tavola da surf?"

E infatti, come infallibilmente avevo previsto, il ragazzo disse: «Ma che tipo di uomo è? Voglio dire, a parte il fatto di essere tuo padre?».

«Non lo so.» Non ero mai stata capace di descriverlo, neppure a me stessa. Presi un altro pugno di sabbia, ne formai una montagnola in miniatura e in cima vi posi il mozzicone della mia sigaretta per costruire un minuscolo cratere, un piccolo vulcano dal quale usciva un filo di fumo. Un uomo che non riesce a star fermo. Un uomo che si fa molto facilmente delle amicizie per poi perderle il giorno seguente, dotato di un talento quasi geniale, ma che si perde di fronte ai piccoli problemi della vita quotidiana. Un uomo litigioso, polemico, affascinante e capace di mandarti su tutte le furie. Un uomo che è un paradosso dalla testa ai piedi.

Ripetei: «Non lo so», e mi volsi a guardare il ragazzo che mi sedeva a fianco. Era simpatico. «Ti inviterei a casa nostra a bere una birra, così lo conosceresti e te ne faresti un'idea. Ma in questo momento si trova a Los Angeles, non tornerà fino a domani mattina.»

Lui rifletté sulla mia proposta grattandosi molto a lungo la nuca e sollevando in questo modo un nugolo di sabbia.

«Ho un'idea» disse. «Torno qui il prossimo week-end, se il tempo tiene.»

Sorrisi. «Davvero?»

«Verrò a cercarti.»

«Bene.»

«Ti porterò la mia tavola di riserva. Così potrai fare surf.»

Replicai: «Non c'è nessun bisogno che tu mi dia qualcosa in cambio».

Lui finse di essere offeso: «Che cosa intendi dire?».

«Intendo dire che te lo farò conoscere in ogni caso. Gli piace avere facce nuove intorno.»

«Ma io non volevo corromperti, lo giuro.»

Mi lasciai convincere. Inoltre avevo un gran desiderio di fare surf. «Lo so» dissi.

Lui sorrise e spense la sigaretta. Il sole che stava sparendo all'orizzonte sul mare prendeva la forma e il colore di una grande zucca arancione. Il ragazzo si sollevò a sedere, sbattendo le palpebre per la luce intensa, sbadigliò leggermente e si stirò. Disse: «Ora devo andare». Si alzò in piedi e rimase lì un momento sopra di me, esitante. La sua ombra sembrava lunghissima. «Ci vediamo, allora.»

«Arrivederci.»

«A domenica prossima.»

«Okay.»

«È un appuntamento. Non te lo dimenticare.»

«Non lo dimenticherò.»

Si allontanò, dopo aver raccolto il resto delle sue cose tutt'intorno. Si girò ancora una volta facendo un ultimo cenno di saluto e poi si avviò, lungo la baia, fino al punto in cui i vecchi cedri, che sbucavano dalla sabbia, segnavano il sentiero che portava fino alla strada.

Lo seguii con lo sguardo mentre si allontanava e poi mi resi conto che non sapevo neppure il suo nome. E, peggio ancora, lui non s'era dato neppure la pena di chiedere il mio. Per lui ero semplicemente la figlia di Rufus Marsh. Comunque, se il tempo avesse tenuto fino alla domenica successiva, sarebbe probabilmente tornato. Se il tempo avesse tenuto. Era pur sempre qualcosa per cui aspettare.

2

Era per via di Sam Carter che vivevamo a Reef Point. Sam era l'agente di mio padre a Los Angeles e fu lui che, alla fine, per disperazione, si era offerto di trovarci da qualche parte un'abitazione a buon mercato: mio padre detestava Los Angeles e, vivendo lì, non sarebbe stato in grado di scrivere nulla di decente. Sam aveva temuto, a quel punto, di perdere denaro e clienti importanti.

«Ci sarebbe un posto a Reef Point» aveva detto Sam. «È poco più di un capanno, ma veramente tranquillo... sembra ai confini del mondo» aveva aggiunto, risvegliando in noi visioni di una sorta di paradiso di Gauguin.

E così avevamo preso in affitto la casetta e accatastato tutti i nostri beni terreni, che erano tristemente pochi, nella vecchia e malandata Dodge di papà e ci eravamo diretti qui, lasciandoci alle spalle lo smog e la sporcizia di Los Angeles, eccitati come due bambini quando sentimmo venirci incontro il primo odore del mare.

E da principio era stato davvero eccitante. Dopo aver vissuto in città, risvegliarsi il mattino con il cinguettio degli uccelli e il fragore ritmico dell'oceano ebbe su di noi un effetto veramente magico. Era meraviglioso uscire il mattino presto e camminare sulla spiaggia deserta, contemplare il sorgere del sole sopra le colline, appendere a una corda il bucato e vederlo ondeggiare e gonfiarsi con il vento che veniva dal mare, i panni candidi come vele al sole.

Per ovvie necessità il nostro ménage era estremamente semplice; io non sono mai stata una gran massaia e a Reef Point c'era soltanto un minuscolo negozio – quello che qui si chiama un *drugstore* – ma mia nonna, in Scozia, lo avrebbe certo chiamato un mercatino di Babilonia poiché vendeva assolutamente di tutto, dalle licenze di caccia agli abiti da casa, dai surgelati ai Kleenex. A gestirlo erano Bill e Myrtle, ma non lo facevano con grande efficienza e mi facevano perdere molto tempo, perché ogni volta sembrava avessero appena finito la verdura fresca, la frutta, o il pollo o le uova, che erano poi le sole cose che io volevo comprare. Comunque, nel corso dell'estate, avevamo finito con l'apprezzare le scatolette di carne in salsa piccante e la pizza surgelata e tutte le varie qualità di gelato che Myrtle evidentemente adorava, perché era un donnone enorme, con i fianchi e le cosce che le scoppiavano dentro i jeans e le braccia, simili a prosciutti, che uscivano vistosamente dalle camicette senza maniche che amava portare.

Ma ora, dopo sei mesi di permanenza a Reef Point, cominciavo a essere irrequieta. Quello splendido clima di tarda estate sarebbe anche potuto durare, ma per quanto ancora? Un altro mese, forse. Poi sarebbero cominciate sul serio le bufere, avrebbe fatto buio prima, sarebbero arrivate le piogge, il vento e la fanghiglia. La casetta – una fragile costruzione di legno – non era dotata di riscaldamento, ma soltanto, nel soggiorno pieno di spifferi, di un enorme camino che divorava legna a velocità inaudita. Pensavo con infinita nostalgia a belle mattonelle di carbone, ma qui non esisteva carbone. Ogni volta che uscivo sulla spiaggia riportavo a casa rami secchi o pezzi di legno, come una pioniera, e andavo ad aggiungerli alla pila di legna che tenevamo nel portico dietro casa. La pila col tempo aveva assunto dimensioni considerevoli, ma sapevo molto bene che, una volta avessimo cominciato a riscaldare regolarmente, la scorta della legna si sarebbe assottigliata con estrema rapidità.

La casetta si trovava proprio dietro la spiaggia, riparata dai venti che soffiavano dal mare soltanto da piccole dune di sabbia. Il legno della costruzione era di un grigio argenteo, scolorito dal tempo, e poggiava su pilastri di pietra; due gradini portavano ai due portici della casa, uno d'ingresso e uno sul retro. Dentro c'era un grande soggiorno, con belle vetrate che guardavano sull'oceano, una piccola cucina, un bagnetto senza la vasca ma con la doccia, una grande camera da letto, la stanza "padronale", dove dormiva mio padre, e un'altra più piccola, con un letto a cuccetta, probabilmente concepita come la stanza per un bambino piccolo o forse per un parente di poca importanza, che era la mia camera. L'arredamento era piuttosto deprimente, il classico arredamento delle casette estive, in cui sono finiti tutti i mobili scartati da altre abitazioni più importanti. Il letto di papà era un'imponente mostruosità di ottone a cui mancavano i pomelli, con le molle che gemevano paurosamente a ogni movimento. Nella mia cameretta stava appeso uno specchio dalla vistosa cornice dorata che aveva tutta l'aria d'aver cominciato la sua esistenza in un bordello vittoriano e che mi offriva il riflesso di una donna scarmigliata, coperta di macchie nere.

Il soggiorno non era molto meglio: le vecchie poltrone erano un po' sfondate, i punti più logori rappezzati con ritagli lavorati all'uncinetto, il tappeto aveva un buco nel mezzo e le sedie erano imbottite con crine di cavallo che lottava vittoriosamente per uscire allo scoperto. C'era un solo tavolo e papà se n'era impadronito per farne il suo scrittoio, cosicché mangiavamo costretti a un'estremità, dove cercavo di tenere un angolo libero, e sedevamo stretti stretti, finendo con i gomiti sulle carte di lavoro. La cosa più bella della casa era la grande panca sotto la vetrata, lunga tutto un lato della stanza, imbottita di gomma piuma e ingombra di coperte calde e di molti cuscini, invitante come il vecchio sofà di una stanza per bambini e sulla quale veniva voglia di accovacciarsi a leggere o anche semplicemente contemplare il tramonto o pensare.

Ma la casa era un luogo solitario. La notte, quando il vento faceva gemere l'assito e si insinuava nelle fessure delle finestre, le stanze si colmavano di strani rumori e crepitii, e pareva di essere su una vecchia nave in alto mare. Quando c'era mio padre tutto questo non aveva alcuna importanza, ma, quando restavo sola, la mia immaginazione suggestionata dalle cronache dei giornali partiva al galoppo. La casetta aveva una struttura molto fragile; nessuna delle serrature delle porte o delle finestre avrebbe potuto fermare un malintenzionato qualsiasi deciso a sopraffarmi e ora che l'estate era finita e gli abitanti delle altre casette se ne erano tornati verso più

22

solide dimore, mi sentivo completamente isolata. Persino Myrtle e Bill erano lontani un buon quarto di miglio e il telefono era un duplex, la linea quindi, non molto efficiente. In ogni caso, la situazione era tale che l'unico rimedio possibile era non pensarci.

Non parlai a mio padre delle mie paure; dopotutto aveva parecchio lavoro da portare a termine. Essendo un uomo molto sensibile, ero certa avesse capito fino a che punto potevo farmi prendere dal panico e forse anche per questo aveva accettato che tenessi Rusty.

Quella sera, dopo un'intera giornata trascorsa sulla spiaggia affollata, quel bel sole che metteva allegria e il mio incontro con il simpatico studente di Santa Barbara, la casetta mi parve ancora più desolante.

Il sole era sparito dietro l'orizzonte e si era levata una bella brezza; presto sarebbe stato buio e così, tanto per tenermi compagnia, accesi il fuoco con uno sconsiderato consumo di legna. Poi, per rilassarmi, feci una bella doccia caldissima, mi lavai i capelli e infine, avvolta in un grande asciugamano, andai in camera mia a cercare un paio di jeans puliti; mi infilai anche un vecchio maglione bianco che un tempo era appartenuto a mio padre fino a quando io, lavandolo malamente, lo avevo infeltrito.

Sotto lo specchio da bordello c'era un cassettone verniciato che doveva servire anche da tavolo da toilette. Lì sopra, in mancanza di altro posto, avevo disposto le mie fotografie. Ce n'erano molte e il più delle volte non le degnavo nemmeno di un'occhiata; ma quella sera era diverso e, mentre pettinavo le lunghe ciocche di capelli bagnati, le studiai a una a una, come se ritraessero persone che quasi non conoscevo o mostrassero luoghi che non avevo mai visto.

C'era mia madre, in una bella foto ritratto, in cornice d'argento. Mamma, con le spalle nude e gli orecchini di brillanti, i capelli appena acconciati da Elizabeth Arden. Amavo molto quel ritratto, ma non era così che la ricordavo. Mi piaceva di più in una vecchia istantanea scattata durante un picnic, con una gonna in tartan, seduta in un prato, affondata in mezzo all'erica fino alla vita, tutta ridente, come se stesse assistendo a qualcosa di molto buffo. E poi c'era l'intera collezione, si sarebbe potuto chiamarlo un montaggio, che riempiva da un'estremità all'altra un grande portaritratti pieghevole di cuoio. Elvie, la vecchia casa bianca che si levava contro uno sfondo di larici e di pini, la collina alle spalle, lo scintillio del lago all'estremità del prato, il molo di pietra dov'era attraccato il vecchio dinghy panciuto che usavamo quando si andava a pescare le trote. E la nonna, davanti alla grande vetrata aperta, con in mano l'inseparabile paio di cesoie. E poi una cartolina a colori di Elvie Loch, il nostro lago. L'avevo comperata all'ufficio postale di Thrumbo. E un'altra foto, di un altro picnic, con i miei genitori insieme, sullo sfondo la nostra vecchia automobile e un grasso spaniel bianco e marrone seduto ai piedi della mamma. E poi c'erano fotografie di mio cugino Sinclair. A dozzine. Sinclair con la sua prima trota, Sinclair con il suo nuovo kilt, pronto per andare a qualche festa. Sinclair con una camicia bianca, capitano della squadra di cricket della sua scuola. Sinclair con gli sci; al volante della sua prima automobile; con in testa un cilindro di carta a qualche festa di capodanno, con l'aria leggermente sbronza. (In quella fotografia lui teneva il braccio intorno alle spalle di una graziosa ragazza bruna, ma io avevo sistemato la fotografia in modo che la ragazza non si vedesse.)

Sinclair era il figlio del fratello di mia madre, Aylwyn. Aylwyn aveva sposato – quando era ancora troppo, troppo giovane, così dicevano tutti – una ragazza di nome Silvia. La famiglia aveva disapprovato quella scelta e, disgraziatamente, quella disapprovazione trovò conferma poiché, poco dopo aver dato al marito un figlio maschio, la giovane donna aveva abbandonato entrambi ed era andata a vivere con un tale che trattava proprietà immobiliari nelle isole Baleari. Dopo aver superato lo choc iniziale tutti furono d'accordo nel ritenere che, dopotutto, quella era la cosa migliore che potesse capitare, specialmente per Sinclair, che venne affidato alle cure amorevoli della nonna e crebbe a Elvie felice e sereno. A me pareva sempre che lui avesse avuto il meglio di ogni cosa.

Di suo padre, mio zio Aylwyn, non conservavo alcun ricordo. Era partito per il Canada quando io ero ancora molto piccola e probabilmente era tornato di tanto in tanto a far visita a sua madre e al figlioletto, ma mai quando noi ci trovavamo a Elvie. La mia sola attenzione nei confronti di zio Aylwyn era la speranza che mi mandasse dal Canada un bel copricapo da pellirossa, tutto di piume. In quegli anni devo aver fatto la mia richiesta almeno un centinaio di volte, ma non mi arrivò mai niente.

Così Sinclair era praticamente il figlio della nonna. E non riuscivo a ricordare un momento della mia vita in cui non fossi stata più o meno innamorata di lui. Di sei anni più grande di me, era stato il mentore della mia infanzia, immensamente saggio e coraggioso. Mi aveva insegnato ad agganciare l'amo alla lenza, a dondolarmi a testa in giù sul suo trape-zio, a tirare una palla da cricket. Insieme avevamo fatto lunghe nuotate e corse con la slitta, avevamo acceso falò proibiti, costruito una casetta su un al-bero e giocato ai pirati nella vecchia barca che face-va acqua.

Quando venni in America per la prima volta, pre-si a scrivergli regolarmente, ma alla fine mi scorag-giai, dal momento che non ottenni mai risposta. La nostra corrispondenza si ridusse ai biglietti natalizi o agli auguri scarabocchiati per il compleanno. Era dalla nonna che avevo sue notizie; fu lei che mi mandò anche quella fotografia della festa di capo-danno.

Dopo la morte di mia madre, come se Sinclair non fosse un peso sufficiente sulle sue spalle, la nonna si era offerta di ospitare anche me.

«Rufus, perché non mi lasci qui la bambina?» Questo avvenne immediatamente dopo il funerale, quando, tornati a Elvie, lei aveva messo in disparte il suo dolore per discutere dell'avvenire con il suo solito spirito pratico. Non avrei dovuto ascoltare, ma io ero lì, sulle scale, e le voci mi giungevano chiare e limpide di dietro la porta chiusa della biblioteca.

«Perché un bambino da crescere è più che suffi-ciente per te.»

«Ma mi piacerebbe tanto avere Jane con me... e lei mi farebbe compagnia.»

«Non è un ragionamento un po' egoistico?»

«Non credo. Ma Rufus, è alla sua vita che dovresti pensare ora, al suo avvenire...»

Mio padre rispose con una sola parola, molto du-ra. Io rimasi inorridita non per la parola in sé, ma perché l'aveva detta proprio a lei. Mi chiesi se per caso non fosse un po' ubriaco...

Ignorando la sua espressione, nella sua solita maniera da gran signora, la nonna continuò a parlare, ma la sua voce si era abbassata di tono, come sempre quando cominciava ad arrabbiarsi.

«Hai appena finito di dirmi che stai per partire per l'America per scrivere la sceneggiatura del tuo libro. Non puoi pensare di trascinarti dietro una ragazzina di quattordici anni fino a Hollywood.»

«Perché no?»

«E la scuola?»

«Le scuole ci sono anche in America.»

«Sarebbe così semplice se stesse qui con me. Fino a quando ti sarai sistemato, avrai trovato un posto adatto in cui vivere.»

Mio padre si alzò rumorosamente dalla sedia. Sentivo benissimo i suoi passi, mentre andava su e giù per la stanza.

«E a quel punto» disse «ti scriverei di mandarmela e tu la metteresti sul primo aereo in partenza?»

«Naturalmente.»

«Non funzionerebbe, lo sai bene.»

«Perché non dovrebbe funzionare?»

«Perché se lasciassi Jane con te per un periodo, Elvie diventerebbe la sua casa, e lei non vorrebbe più staccarsene. Sai bene che lei preferisce Elvie a qualsiasi altro posto...»

«E allora, per amor suo...»

«Per amor suo la porto con me.»

Ci fu un lungo silenzio. Poi la nonna riprese a parlare. «Questa è la sola ragione, Rufus?»

Lui esitò un momento, come se non volesse offenderla. «No» disse alla fine.

«Tutto considerato, continuo a pensare che tu stia commettendo un errore.»

«Se è un errore, è un errore mio. Così come Jane è mia figlia e desidero che rimanga con me.»

Avevo sentito abbastanza. Saltai in piedi e corsi a precipizio a rifugiarmi in camera mia. Lì mi gettai sul letto e scoppiai in un pianto disperato, perché avrei dovuto lasciare Elvie, perché non avrei più rivisto Sinclair e perché le due persone che più amavo al mondo stavano litigando per causa mia.

Scrissi, naturalmente, e la nonna rispondeva sempre e tramite le sue lettere mi giungevano tutti i suoni e i profumi di Elvie. E poi, quando furono passati un anno o due, "Perché non ritorni in Scozia?" mi scrisse una volta. "Soltanto per una breve vacanza, un mese o poco più. Tutti qui sentiamo terribilmente la tua mancanza e ci sono moltissime cose che dovresti vedere. Ho fatto una nuova bordura di rose in giardino e Sinclair sarà qui per il mese d'agosto... ha un appartamentino a Earls Court, e mi ha invitata a pranzo l'ultima volta che sono andata in città. Se c'è qualche difficoltà per il biglietto, sai che non devi fare altro che dirmelo e incaricherò il signor Bembridge di andare all'agenzia di viaggi e te ne farò spedire uno di andata e ritorno. Parlane con tuo padre."

Il pensiero di Elvie in agosto, con Sinclair, era quasi irresistibile, ma non potevo parlarne con mio padre. Avevo sentito quella discussione in biblioteca e non pensavo che mi avrebbe lasciata andare.

Inoltre pareva che non venisse mai il momento giusto o la giusta occasione per fare un viaggio fino a casa. Era come se fossimo diventati dei nomadi: arrivavamo in un posto, ci sistemavamo e dopo un po' era già tempo di spostarci altrove. Talvolta eravamo ricchi, più spesso a corto di denaro. Mio padre, senza più la mano di mia madre a frenarlo, spendeva soldi come se fossero acqua. Alloggiammo in grandi palazzi di Hollywood, in motel, in appartamenti della Fifth Avenue, in pensioncine scadenti. Intanto gli anni passavano e pareva che in vita nostra non avessimo fatto altro che viaggiare su e giù per l'America e che mai più ci sarebbe capitato di stabilirci definitivamente da qualche parte. Il ricordo di Elvie piano piano impallidiva, si faceva irreale, come se le acque di Elvie Loch fossero salite a sommergere tutto quanto. Dovevo fare uno sforzo per rammentare che era sempre là, abitato da esseri umani che erano parte di me, che amavo, e che non erano affogati e perduti per sempre, immagini sfocate, intraviste appena attraverso le acque profonde di qualche terribile disastro naturale.

Ai miei piedi Rusty guaì. Sussultai e abbassai gli occhi su di lui e per un attimo non riuscii a capire chi fosse e che cosa facesse lì. E poi, come accade quando i vecchi proiettori domestici d'un tratto si fermano lasciando le immagini sospese, ci fu un clic e la vita quotidiana riprese a scorrere: mi resi conto che i miei capelli erano quasi asciutti, che Rusty aveva fame e voleva la sua cena e, cosa più importante, che avevo fame anch'io. Così deposi il pettine, scacciai Elvie dai miei pensieri e tornai nell'altra stanza per mettere nuova legna sul fuoco e per ispezionare il frigorifero, in cerca di qualcosa da mangiare per entrambi.

Erano quasi le nove quando udii un'automobile scendere giù per la collina, lungo la strada di terra battuta che veniva da La Carmella. Come tutte le macchine che percorrono questa strada, scendeva con la prima ingranata, per questo la sentii, ma anche perché ero sola con i sensi all'erta, pronta, mio malgrado, ad avvertire il più piccolo suono che non fosse familiare.

Stavo leggendo un libro e mi accingevo a voltare pagina. Mi raggelai di colpo, sentendomi pizzicare le orecchie. Rusty sentì la mia tensione e si mise a sedere, silenzioso, come se temesse di disturbare. Restammo insieme in ascolto. Un ciocco scivolò nel caminetto, il rombo del mare veniva di lontano. L'automobile scendeva giù verso le casette.

Pensai: "Myrtle e Bill. Sono andati al cinema a La Carmella". Ma la macchina non si arrestò al *drugstore*. Proseguì, sempre gemendo pietosamente in prima, passò oltre i cedri, là dove i gitanti che venivano per il picnic parcheggiavano, lungo la strada solitaria che poteva condurre soltanto alla mia casa.

Mio padre? No, lui non sarebbe tornato che l'indomani sera. Il giovanotto che avevo conosciuto sulla spiaggia, che ritornava per bere con me un bicchiere di birra? Un vagabondo? Un detenuto evaso di prigione? Un maniaco sessuale...?

Saltai in piedi, lasciando cadere il libro sul tappeto davanti al camino e corsi a controllare le serrature delle porte. Erano entrambe ben chiuse. Ma la casetta non aveva tende e chiunque avrebbe potuto guardar dentro e vedermi, mentre io non sarei stata in grado di vedere chi stava fuori. Mi precipitai a spegnere tutte le luci, ma nel camino il fuoco bruciava allegramente, riempiendo la stanza di luce tremolante... giocava sui muri e sui mobili, dando alle vecchie poltrone un'aria sinistra.

Fuori i fari che si avvicinavano tastavano il buio. Ora vedevo benissimo la macchina che si avvicinava, lentamente, sobbalzando sui solchi della carreggiata. Passò oltre l'ultima casetta deserta prima della nostra e accostò dolcemente, per fermarsi proprio davanti al piccolo portico del nostro ingresso posteriore. E non era mio padre.

Con un sussurro chiamai Rusty vicino, per sentire il conforto del suo collare e il calore della sua pelliccia. Dal fondo della gola gli saliva il brontolio di un latrato soffocato, ma non abbaiò. Insieme ascoltammo il motore che si spegneva, poi uno sportello che si apriva e si richiudeva con un colpo secco. Un attimo di silenzio. Poi dei passi sul morbido terreno sabbioso fra la strada e i gradini che portavano al portico e un istante più tardi si udì bussare alla porta.

Mi lasciai sfuggire un gemito soffocato e questo fu troppo per Rusty, che si liberò con forza dalla mia mano e si mise a correre, abbaiando furiosamente, pronto a saltare addosso a chiunque stesse aspettando fuori.

«Rusty!» Gli corsi dietro, ma lui continuava ad abbaiare. «Rusty, smettila... non così. Rusty! Non fare così.»

Lo afferrai per il collare e lo trascinai via dalla porta, ma lui continuò ad abbaiare e in quel momento mi venne in mente che da fuori sarebbe sembrato un cane grosso e feroce, impressione ideale date le circostanze.

Mi feci coraggio, gli diedi una scossa violenta che finalmente lo mise a tacere e mi misi ben dritta. La mia ombra, proiettata dalla luce del caminetto, danzava contro la porta chiusa.

Deglutii con forza, respirai profondamente e infine, con voce il più possibile ferma e chiara, domandai:

«Chi è?»

Rispose una voce d'uomo. «Sono spiacente di disturbarla, ma sto cercando la casa del signor Marsh.»

Un amico di papà? O semplicemente un trucco per farmi aprire la porta? Esitai.

Lui parlò nuovamente.

«È qui che abita Rufus Marsh?»

«Sì, abita qui.»

«È in casa?»

Un altro trucco?

«Perché?» domandai.

«Be', mi è stato detto che avrei potuto trovarlo qui.» Stavo ancora arrovellandomi su cosa avrei potuto fare, quando la voce aggiunse, in un tono del tutto diverso: «Lei è Jane?».

Non c'è nulla di più disarmante che sentirsi chiamare per nome da un perfetto estraneo. E inoltre c'era qualcosa nella sua voce... anche se mi giungeva ovattata da dietro la porta sbarrata... qualcosa...

Dissi: «Sì».

«C'è suo padre?»

«No, è a Los Angeles. Ma lei chi è?»

«Be', il mio nome è David Stewart... Io... Senta, è piuttosto difficile parlare attraverso una porta chiusa...»

Ma prima ancora che potesse finire la frase, avevo già aperto il chiavistello, girato la chiave nella toppa e spalancato la porta. E avevo fatto questo gesto apparentemente insensato, assolutamente folle, soltanto per il modo in cui aveva pronunciato il suo nome. Stewart. Gli americani hanno sempre enorme difficoltà a pronunciarlo. Dicono Stoowart. Ma lui lo aveva pronunciato come lo pronunciava mia nonna, quindi non poteva essere un americano, era qualcuno che veniva da casa. E con un nome simile doveva per forza venire dalla Scozia.

Probabilmente in quel momento avevo immaginato che l'avrei riconosciuto all'istante, ma in realtà non lo avevo mai visto in vita mia. Se ne stava lì nel vano della porta di fronte a me, i fari della macchina ancora accesi alle sue spalle; soltanto la luce del caminetto gli illuminava il viso. Portava occhiali con una grossa montatura di corno ed era molto alto... più alto di me. Restammo a lungo a fissarci, lui probabilmente interdetto per il brusco mutare del mio comportamento e io colta all'improvviso da una violenta ondata di collera.

Nulla al mondo mi rende più furiosa che l'essere spaventata, ed ero quasi morta dallo spavento.

«Che cosa le viene in mente di arrivare furtivamente in questo modo, nel cuore della notte...» Mi accorsi di aver perso il controllo della voce, che suonava stridula, troppo alta.

In modo del tutto ragionevole l'uomo disse: «Sono soltanto le nove e non avevo affatto l'intenzione di arrivare furtivamente».

«Avrebbe potuto telefonare e avvertirmi del suo arrivo.»

«Non sono riuscito a trovare il vostro numero nella guida telefonica.» Non faceva alcun tentativo di entrare. Rusty stava accucciato in fondo alla stanza fissando l'intruso con occhi torvi. «E non avevo idea che lei fosse qui sola, altrimenti avrei aspettato un altro momento.»

La mia collera stava svanendo e mi vergognai un po' per essere scattata in quel modo. «Be', ora che è qui, sarà meglio che entri.» Indietreggiai e cercai l'interruttore della luce. La stanza fu invasa da una luce fredda e intensa.

Ma lui esitava ancora. «Non vuole avere delle credenziali... che ne so, una carta di credito o il passaporto?»

Lo guardai gelida: credevo di aver intravisto un bagliore divertito dietro le lenti e mi domandavo che cosa ci trovasse di divertente. «Se lei abitasse qui da quanto ci abito io, neppure lei avrebbe aperto facilmente la porta al primo malintenzionato.»

«Be', immagino che il primo malintenzionato penserebbe innanzitutto a spegnere i fari della macchina. Li ho lasciati accesi per trovare la strada.»

Senza aspettare la risposta tagliente che mi sarebbe tanto piaciuto sapergli dare, l'uomo si girò e tornò verso l'automobile. Io lasciai la porta aperta e tornai verso il caminetto, aggiunsi un ciocco al fuoco e mi accorsi che mi tremavano le mani e il cuore mi batteva all'impazzata. Lisciai col piede il tappeto davanti al fuoco, feci sparire l'osso di Rusty sotto la poltrona e mi stavo accendendo una sigaretta quando l'uomo rientrò, sbattendo la porta dietro di sé.

Mi volsi a guardarlo. Era bruno, con la pelle chiara e i capelli neri tipici di molti scozzesi, magro e con un'aria piuttosto da intellettuale, i tratti un po' angolosi e irregolari.

Portava un comodo abito di tweed, leggermente consunto ai gomiti e alle ginocchia, una camicia a quadretti bianchi e marrone e una cravatta verde scuro. Poteva essere un insegnante o un professore di qualche scienza oscura. Impossibile definirne l'età. Poteva essere fra i trenta e i cinquant'anni.

«Come si sente, ora?» disse.

«Benissimo» ma la mano mi tremava ancora e lui se ne accorse.

«Credo non le farebbe male versarsi qualcosa da bere.»

«Non so neppure se c'è in casa qualcosa di forte.»

«Dove potremmo guardare?»

«Nella credenza sotto la finestra.»

Lui vi si diresse, aprì gli sportelli della credenza, frugò un po' e poi ne venne fuori con una manica della giacca coperta di lanugine polverosa e una bottiglia di Haig mezza vuota in mano.

«Quello che ci vuole. Manca solo un bicchiere e siamo a posto.»

Andai in cucina e tornai con due bicchieri, una brocca d'acqua e una vaschetta con i cubetti di ghiaccio che avevo preso dal frigorifero, e rimasi a guardare mentre lui versava da bere. Il liquido era scuro in maniera sospetta. Dissi: «Non mi piace molto il whisky».

«Lo prenda come una medicina.» Mi porse il bicchiere.

«Non voglio ubriacarmi.»

«Per questo non c'è pericolo.»

Il che era abbastanza ragionevole. Il whisky sapeva di fumo e dava una meravigliosa sensazione di calore. Rinfrancata dall'alcol, imbarazzata per il mio comportamento da sciocca, azzardai un sorriso.

Lui ricambiò. «Perché non ci mettiamo a sedere?»

Così sedemmo, io sul tappeto davanti al caminetto, lui sull'orlo della grande poltrona di papà, le mani penzoloni fra le ginocchia, il bicchiere ai suoi piedi sul pavimento. Disse: «Per pura curiosità, che cosa l'ha spinta ad aprirmi la porta?».

«È stato il modo in cui ha pronunciato il suo nome. Lei viene dalla Scozia, vero?»

«Sì.»

«Da dove?»

«Caple Bridge.»

«Ma Caple Bridge è vicino a Elvie.»

«Lo so. Vede, io lavoro con Ramsay, McKenzie e King...»

«Sono gli avvocati di mia nonna.»

«Esatto.»

«Ma io non mi ricordo di lei.»

«Sono entrato nella società soltanto cinque anni fa.»

Provai una sensazione di gelo al cuore, ma riuscii a domandare: «Non è accaduto... niente di brutto?».

«Niente di brutto.» La sua voce era estremamente rassicurante.

«E allora perché è venuto fin qui?»

«Si tratta» rispose David Stewart «di un certo numero di lettere che non hanno avuto risposta.»

3

Dopo un breve silenzio dissi: «Non capisco».

«Quattro, per la precisione. Tre scritte personalmente dalla signora Bailey e una da me, scritta dietro suo incarico.»

«Scritte per chi?» Non era il momento per preoccuparsi della grammatica.

«A suo padre.»

«Quando?»

«Negli ultimi due mesi.»

«Le lettere sono state mandate qui? Voglio dire, noi siamo stati in giro per molto tempo.»

«Lei stessa aveva scritto a sua nonna dando questo indirizzo.»

Era vero. Io avevo sempre tenuto al corrente la nonna dei nostri spostamenti. Gettai nel fuoco la mia sigaretta consumata a metà e cercai di abituarmi alla situazione, così straordinaria per me. Mio padre, con tutti i suoi difetti, era la persona più incapace di tenere segreti che io conoscessi... Semmai peccava in senso opposto, lamentandosi per giorni interi ad alta voce quando qualcosa lo disturbava o gli dava dispiacere. Ma non lo avevo mai sentito parlare di quelle lettere.

Il mio interlocutore mi diede l'imbeccata. «Lei non ha mai visto nessuna di queste lettere?»

«No. Ma questo non mi sorprende, perché papà va personalmente ogni giorno a ritirare la posta al *drugstore.*»

«È possibile che non le abbia neppure aperte?»

Ma anche questo non rispondeva al carattere di mio padre. Papà apriva sempre le lettere. Questo non voleva dire necessariamente che le leggesse, ma c'era sempre la fortunata eventualità che una lettera contenesse un assegno.

«No, questo non lo farebbe mai.» Deglutii con forza per ricacciare indietro quel nodo di nervosismo che mi chiudeva la gola e gettai indietro i capelli che mi ricadevano sul viso. «Di che cosa trattavano? O forse lei non lo sa.»

«Certo che lo so.» Sapeva prendere un tono molto secco e non era difficile immaginarlo sprofondato dietro un'antiquata scrivania, intento a schiarirsi la voce per farne scomparire qualsiasi traccia di emozione e mettersi poi a discutere in forma quanto mai competente di tutte le incomprensibili trappole legali inerenti testamenti, affidavit, compravendite e altre questioni giuridiche. «Si tratta semplicemente del desiderio di sua nonna di vederla tornare in Scozia... almeno per farle una visita...»

«So bene che lo desidera» risposi «ne parla sempre nelle sue lettere.»

Lui inarcò le sopracciglia. «Ma lei non vuole tornare?»

«Sì... certo che vorrei...»

Pensai a mio padre, rammentai quella conversazione che avevo udito origliando tanto tempo prima. «Non so... voglio dire, non posso prendere una decisione del genere così in fretta...»

1- sink
2- to brighten up
3- to disappear
4- track, mark

38

«C'è qualche ragione particolare per cui non dovrebbe tornare a casa?»

«Be', naturalmente una ragione c'è... mio padre...»

«Vuol dire che non c'è nessun altro che si occupi di lui, che gli tenga la casa?»

«No, non intendo questo, affatto.» Lui rimase in attesa, pensando forse che gli dessi una spiegazione, che gli dicessi ciò che pensavo veramente. In quel momento non desideravo incontrare il suo sguardo e così mi misi a fissare il fuoco. Avevo lo sgradevole sospetto che mi si potesse leggere sul viso un'espressione impacciata, peggio ancora imbarazzata.

Lui riprese: «Sa, sua nonna non ha mai nutrito alcun sentimento di rancore per il fatto che suo padre l'abbia portata in America...».

«La nonna avrebbe desiderato che rimanessi a Elvie.»

«Allora lei questo lo sa?»

«Sì, li sentii litigare in proposito. Di solito non litigavano. Anzi, credo che andassero molto d'accordo. Ma ci fu una lite tremenda per causa mia, allora.»

«Ma questo è avvenuto sette anni fa. Ora potremmo certamente trovare il modo di giungere a un compromesso.»

Tirai fuori la prima scusa, la più ovvia. «Ma è un viaggio tanto costoso...»

«La signora Bailey, naturalmente, si assumerebbe volentieri le spese.» (Immaginai con una stretta al cuore quale sarebbe stata la reazione di mio padre a questa soluzione.) «Non dovrebbe star lontana per più di un mese» disse ancora. E poi: «Ma lei non desidera tornare in Scozia?».

Le sue maniere erano disarmanti.

«Sì, certo che lo desidero...»

sguardo-glance

«E allora, perché tanta mancanza di entusiasmo?»

«Non mi piace l'idea di contrariare mio padre. E lui, ovviamente, non desidera affatto che io torni a casa, altrimenti avrebbe risposto alle lettere di cui lei parlava.»

«Già, le lettere. Mi domando dove possano essere andate a finire.»

Indicai con la mano il grande tavolo alle sue spalle, coperto di pile di libri e di manoscritti, vecchi incartamenti, buste e fatture disgraziatamente non pagate. «Su quel tavolo, suppongo.»

«Mi chiedo anche come mai non gliene abbia mai parlato.»

Non dissi nulla, ma credevo di saperlo molto bene. In un certo senso, mio padre nutriva del risentimento nei confronti di Elvie e soprattutto lo disturbava il fatto che io vi fossi tanto affezionata. Forse era un po' geloso della famiglia di mia madre. Aveva paura di perdermi.

Dissi: «Non ne ho idea».

«Bene, e ora quando crede che lui ritornerà da Los Angeles?»

Replicai: «Non credo sia bene che lei lo veda. Una discussione su questo argomento non farebbe che rattristarlo, perché, anche se accettasse di lasciarmi andare, io non lo lascerei mai qui solo».

«Ma certamente si potrebbe trovare il modo di...»

«No, non si potrebbe. Ha bisogno di qualcuno che si occupi di lui. È la persona più priva di senso pratico che io conosca al mondo... non sarebbe mai in grado di pensare a comprarsi da mangiare o a fare benzina per l'automobile, e se io lo lasciassi solo morirei di ansia per tutto il tempo.»

«Jane... ma lei deve anche pensare a se stessa...»

«Un giorno o l'altro verrò. Dica alla nonna che verrò in un altro momento.»

Stewart rimase in silenzio a meditare sulla mia risposta. Finì il suo whisky e alla fine depose il bicchiere vuoto. «Bene, lasciamo le cose così. Io ritorno a Los Angeles domani mattina, verso le undici. Ho prenotato un posto per lei sull'aereo per New York di martedì mattina. Non c'è alcuna ragione perché lei non debba dormirci sopra e se dovesse cambiare idea...»

«Non lo farò.»

Ignorò le mie parole. «Se lei dovesse cambiare idea, non c'è nulla che le impedisca di partire con me.» Si alzò, più alto di me. «E continuo a pensare che lei dovrebbe farlo.»

Non mi piace essere guardata dall'alto, perciò mi alzai anch'io.

«Lei pareva molto sicuro che sarei partita subito con lei.»

«Speravo che lo avrebbe fatto.»

«Lei pensa che io cerchi delle scuse, vero?»

«Non precisamente.»

«Mi sento molto in colpa al pensiero che lei abbia fatto un viaggio così lungo per nulla.»

«Ero a New York per affari. E mi ha fatto molto piacere conoscerla; mi dispiace soltanto di non aver potuto incontrare suo padre.» Mi tese la mano. «Addio, Jane.» Dopo un attimo di esitazione allungai il braccio. Gli americani non amano tanto le strette di mano e alla fine vi si perde l'abitudine. «Porterò i suoi saluti a sua nonna.»

«Sì, e a Sinclair.»

«Sinclair?»

«Lo vedrà, no? Quando viene a Elvie?»

«Sì. Sì, naturalmente lo incontro. Stia certa che gli porterò i suoi saluti.»

Dissi ancora: «Gli dica di scrivere». E poi mi chinai a occuparmi di Rusty, perché gli occhi mi si erano improvvisamente colmati di lacrime e non volevo che David Stewart se ne accorgesse.

Quando se ne fu andato, tornai in casa e mi accostai al tavolo dove mio padre teneva tutte le sue carte. In un momento trovai, una dopo l'altra, le quattro lettere alle quali lui non aveva risposto, tutte aperte e, evidentemente, lette. Non le lessi. I miei istinti più nobili ebbero il sopravvento, e, comunque, ormai ne conoscevo il contenuto. Così le rimisi semplicemente al loro posto, sepolte come prima sotto un mucchio di altre carte.

Andai a inginocchiarmi sul panchetto davanti alla finestra, aprii i vetri e mi sporsi a guardar fuori. Era buio pesto, l'oceano pareva d'inchiostro, l'aria era fredda, ma tutte le mie paure erano svanite. Pensai a Elvie e desiderai intensamente essere là in quel momento. Immaginai le oche selvatiche che attraversavano il cielo invernale, credetti di sentire il profumo della torba bruciare nel caminetto del vestibolo. Pensai al lago, azzurro intenso e liscio come uno specchio, oppure grigio, orlato di onde brevi dalla cresta bianca durante le bufere che venivano dal Nord. D'improvviso provai una tremenda nostalgia, desiderai con tutte le fibre del mio essere di trovarmi là, una nostalgia intensa come un dolore fisico.

E provai rancore verso mio padre. Non volevo lasciarlo, ma lui avrebbe almeno potuto discutere con me, darmi la possibilità di fare delle scelte, prendere delle decisioni. Avevo ventun anni, non ero più una bambina e soffrivo per quell'atteggiamento che mi appariva insopportabilmente egoista e antiquato.

"Aspetta solo che ritorni a casa" promisi a me stessa. "Aspetta che lo affronti con quelle lettere in mano. Gli dirò soltanto... dirò..."

Ma la mia collera non durò molto. Non ero capace di restare a lungo in collera. Placata dall'aria notturna, la mia furia sbollì e mi sentii sola, stranamente svuotata. Dopotutto non era cambiato nulla. Sarei rimasta con lui perché gli volevo bene, perché aveva bisogno di me, perché desiderava la mia presenza. Non c'erano alternative possibili. E non lo avrei affrontato con quelle lettere, perché sentirsi in colpa lo avrebbe imbarazzato, lo avrebbe umiliato e, se dovevamo continuare a vivere insieme, avere un futuro comune, era importante che lui potesse sempre sentirsi il più forte, il più saggio fra noi due.

La mattina seguente ero occupata a strofinare il pavimento della cucina, quando udii l'inequivocabile stridulo lamento della vecchia Dodge di papà che arrivava al sommo della collina e affrontava in discesa la strada sconnessa che portava a Reef Point. Lavai frettolosamente l'ultimo metro quadrato di linoleum marrone, mi sollevai sulle ginocchia, strizzai lo straccio nel secchio, andai a gettare l'acqua sporca nello scolatoio e uscii sul portico posteriore della casa per andare incontro a papà, mentre finivo di asciugarmi le mani nel grembiule a righe.

Era una giornata splendida; un bel sole caldo, il cielo azzurro intenso attraversato da luminose nuvole bianche. L'aria scintillante del mattino era piena di vento e del rombo delle grandi ondate dell'alta marea che si rovesciavano sulla spiaggia. Avevo già appeso oltre il portico il bucato e ora la biancheria si gonfiava sulla corda e sbatteva con rumore; dovetti abbassarmi per passare oltre e raggiungere l'automobile che arrivava sobbalzando fra le buche.

Mi avvidi subito che mio padre non era solo. Grazie al bel tempo aveva abbassato la capote e accanto a lui, riconoscibilissima al primo sguardo, la testa di capelli rossi, arruffati dal vento, di Linda Lansing. Quando mi vide, si sporse dalla macchina per salutare e il barboncino bianco che teneva sulle ginocchia si sporse anch'esso e subito si abbandonò a un parossismo di urla, abbaiando infuriato, come se io non avessi il diritto di trovarmi lì.

Rusty, che era stato sulla spiaggia, divertendosi un mondo a giocare coi vecchi resti di un cestino di vimini, udì il barboncino e venne immediatamente in mio soccorso, sbucando dall'angolo della casetta in pieno assetto di guerra, latrando e abbaiando furiosamente, tentando con piccoli salti di aggredire l'automobile a denti scoperti, incapace di resistere all'urgente bisogno che provava di affondarli nel collo del barboncino. Papà imprecò, Linda si mise a gridare, carezzando il barboncino nella speranza, quanto mai vana, di calmarlo. Il cagnolino guaiva e abbaiava sempre più disperato e io dovetti prendere Rusty per il collare, trascinarlo in casa, ordinandogli di star zitto e comportarsi in maniera decente, prima che si desse anche la più piccola possibilità di iniziare una qualsiasi conversazione fra esseri umani.

Lasciai Rusty imbronciato e tornai fuori. Papà intanto era sceso dall'automobile. «Ciao, tesoro.» Girò intorno alla macchina, mi strinse fra le braccia e mi baciò. Era come sentirsi abbracciare da un gorilla, la barba irsuta che mi grattava la faccia. «Tutto bene?»

«Sì, benissimo» mi sciolsi dal suo abbraccio. «Salve, Linda.»

«Salve, carissima.»

«Mi dispiace per il cane.» La precedetti per aprire la porta di casa. Lei era perfettamente truccata, con le ciglia finte, indossava un vestito di maglia e ai piedi portava ballerine dorate. Il barboncino aveva un collarino rosa, tempestato di pietre colorate.

«Non preoccuparti. Credo che Mitzi sia molto nervosa. Qualcosa che ha a che fare con la razza pura.» Allungò il viso verso di me, le labbra protese a ricevere il mio bacio. La baciai e il barboncino ricominciò a guaire in segno di protesta.

«Per l'amore del cielo!» esclamò papà. «Fai star quieto quel maledetto animale.» Al che Linda lo buttò fuori dalla macchina senza tante cerimonie e poi scese anche lei.

Linda Lansing era un'attrice. Vent'anni prima o giù di lì era comparsa a Hollywood come una giovane promessa e ciò aveva significato una strepitosa campagna pubblicitaria personale seguita da una serie di film mediocri, in cui faceva di solito la parte della zingarella o di una giovane contadina, indossando camicette che le lasciavano le spalle nude, sotto corpetti allacciati a stringhe, con labbra dipinte di un rosso acceso e un'espressione trasognata e sentimentale, piuttosto scontrosa. Ma questo tipo di film e lo stile della sua recitazione erano destinati a passare presto di moda, e Linda con loro. Molto astutamente, perché non era affatto una stupida, si sposò in gran fretta. «Mio marito vale per me assai più della carriera» dicevano le didascalie sotto le fotografie del suo matrimonio, e per qualche tempo Linda aveva abbandonato Hollywood e il cinema. Ma più tardi, dopo aver divorziato dal terzo marito senza averne ancora agganciato un quarto, era ricomparsa, in particine secondarie o in televisione. Per gli spettatori della nuova generazione era una faccia sconosciuta e, abilmente diretta, aveva rivelato qualità del tutto insospettate per la commedia brillante.

Ci eravamo conosciute in uno di quei party della domenica irrimediabilmente noiosi ai bordi di una piscina, come usano tanto a Los Angeles. Mio padre l'aveva agganciata subito, essendo a quella festa una delle pochissime donne con cui valesse la pena di parlare. Anche a me piacque. Possedeva un senso umoristico piuttosto volgare, una voce profonda e gradevole e una sorprendente capacità di ridere di se stessa.

Mio padre esercita un grande fascino sulle donne, ma ha sempre mantenuto una estrema discrezione nelle sue relazioni. Sapevo che aveva un flirt con Linda, ma non mi sarei mai e poi mai aspettata che la portasse a Reef Point con sé.

Decisi di assumere un atteggiamento molto freddo. «Bene, questa è davvero una sorpresa. Che cosa fa in questo angolo sperduto?»

«Oh, sai bene com'è, tesoro, quando tuo padre comincia a insistere su una cosa. E il piacere di respirare di nuovo aria di mare...» Inspirò profondamente, tossì appena e andò verso l'automobile, per prendere la sua borsetta. Fu solo in quel momento che mi accorsi dell'enorme bagaglio accatastato sul sedile posteriore. Tre grandi valigie, una borsa portabiti, un beauty-case, una pelliccia di visone nella sua busta di plastica e il cestino del cane, completo di osso rosa di gomma. Fissai esterrefatta tutta quella roba, ma prima che potessi aprire bocca, mio padre mi aveva dato di gomito perché mi tirassi in disparte e aveva già sollevato due delle valigie.

«Be'» disse «non restar lì a bocca aperta in quel modo. Porta in casa qualcosa, piuttosto.»

E con questo si diresse verso la casetta. Linda, dopo una rapida occhiata alla mia espressione, decise con molto tatto che Mitzi aveva bisogno di fare una corsa sulla spiaggia e scomparve. Io feci per avviarmi dietro mio padre, poi riflettei un momento, tornai alla macchina a prendere il cestino del cane e mi diressi finalmente verso casa.

Trovai papà in mezzo al soggiorno, le due valigie posate ai suoi piedi sul pavimento. Gettò il berretto su una poltrona, si tolse di tasca un grosso fascio di corrispondenza e lo depose sul tavolo. La stanza, che avevo appena ripulito e riordinato, fu di nuovo immediatamente in disordine, acquistò un'aria di provvisorietà, di trasandatezza. Mio padre sapeva ottenere questo risultato ovunque si trovasse, semplicemente entrando in una stanza. Si diresse verso la finestra, si sporse come se dovesse controllare la vista e inspirò con forza l'aria del mare. Oltre le sue spalle massicce vedevo in distanza la figuretta di Linda che camminava con il barboncino sul bagnasciuga. Rusty, sempre imbronciato, stava accucciato sul sedile sotto la finestra e non muoveva neppure la coda.

Papà si volse, cercando le sigarette nella tasca della camicia. Pareva molto soddisfatto di sé. «Be'» disse «non mi domandi neppure come sono andate le cose?» Si accese la sigaretta, alzò gli occhi rivolgendosi a me e gettò il fiammifero dalla finestra alle sue spalle. «Che cosa fai ora, lì ferma in mezzo alla stanza, con il cestino del cane in mano? Metti giù quel maledetto arnese.»

Non ubbidii. Dissi invece: «Che cosa sta succedendo?».

«Che cosa intendi dire?»

Mi resi conto che tutta la cordialità, il buon umore erano soltanto una spavalderia per nascondere la burrasca.

«Tu sai benissimo che cosa intendo dire. Linda.»

«Che cosa c'è che non va con Linda? Ti è simpatica, no?»

«Certo che mi è simpatica, ma non è questo il punto. Che cosa ci fa qui?»

«Le ho chiesto io di venire.»

«Con tutto quel bagaglio? Per quanto tempo, per amor del cielo?»

«Be'...» Fece un gesto vago con la mano. «Per tutto il tempo che vorrà.»

«Ma non lavora?»

«Oh, ha già piantato tutto quanto.» Si diresse verso la cucina, alla ricerca di una lattina di birra. Sentii che apriva il frigorifero e sbatteva l'anta. «Comincia a essere stufa di Los Angeles quanto lo eravamo noi. Così ho pensato: perché no?» Ricomparve sulla porta della cucina con la lattina aperta in mano. «Non avevo ancora finito di proporglielo, che aveva già trovato qualcuno che prendeva in affitto la sua casa, insieme alla cameriera, aveva fatto i bagagli ed era pronta a partire.» Aggrottò di nuovo la fronte. «Jane, non ti sarai per caso affezionata a quel cestino del cane?»

Continuai a ignorarlo. «Per quanto tempo?» insistetti corrucciata.

«Be', fino a quando resteremo noi. Non lo so. Per l'inverno, può darsi.»

«Ma non c'è posto» dissi.

«Certo che c'è posto. E dopotutto, di chi è questa

casa?» Vuotò la lattina di birra, la lanciò con gesto sicuro attraverso la cucina fino al bidone della spazzatura e uscì di nuovo per andare a prendere il resto del bagaglio. Questa volta, rientrando, portò le valigie in camera sua. Misi per terra il cestino di Mitzi e lo seguii. Con noi due, il letto e le valigie, lo spazio non era molto.

Dissi: «Dove andrà a dormire?».

«Be', dove pensi che possa andare a dormire?» Sedette sul letto mostruoso e le molle si lamentarono. «Qui, precisamente qui.»

Non trovai nulla da dire. Continuavo semplicemente a fissarlo. Una cosa simile non era mai accaduta prima, mai. Mi chiesi se fosse uscito di senno.

Qualcosa nella mia espressione doveva averlo colpito, perché d'improvviso mi guardò contrito e mi prese la mano.

«Jane, non guardarmi così. Non sei più una bambina, non devo fingere con te. Linda ti è simpatica, non l'avrei portata qui se non fossi stato sicuro che ti piace. Ti terrà compagnia, non resterai più tanto sola quando io devo andar via. Oh, andiamo, smettila di fare quella faccia così depressa e vai a fare un buon caffè.»

Liberai la mia mano dalle sue e dissi: «Non ho tempo».

«Che cosa vuoi dire?»

«Devo... devo andare a fare la valigia.»

Uscii di corsa dalla sua camera e andai nella mia, tirai fuori la mia valigia, la misi sul letto, l'aprii e cominciai a riempirla, come fa la gente nei film, vuotando cassetti uno dopo l'altro.

Dal vano della porta aperta dietro di me mio padre parlò.

«Che cosa s ai pensando di fare?»

Mi girai verso di lui, le mani cariche di camicie e cinture e foulard e fazzoletti. Dissi: «Me ne vado».

«Dove?»

«Torno in Scozia.»

Lui fece un solo passo verso di me e mi prese per un braccio facendomi ruotare su me stessa perché lo guardassi in viso. Ripresi a parlare rapidamente, per non lasciargli il tempo di dire una sola parola. «Hai ricevuto quattro lettere» gli dissi. «Tre della nonna e una dei suoi avvocati. Le hai aperte, le hai lette e non mi hai detto niente, perché non volevi che io tornassi a casa. Non hai sentito neppure il bisogno di discuterne con me.»

La mano che mi teneva il braccio non mollò la presa, ma ebbi l'impressione che il suo volto impallidisse un poco.

«Come fai a sapere di quelle lettere?»

Gli raccontai di David Stewart. «Mi ha detto tutto» conclusi. «Non che fosse necessario venirmelo a raccontare» aggiunsi in tono sprezzante «sapevo già ogni cosa.»

«E che cosa sapevi, esattamente?»

«Che tu non hai mai voluto che io restassi a Elvie dopo la morte della mamma. Che non ne volevi sapere che io tornassi laggiù.» Mi guardò, disorientato. «Io avevo sentito tutto» gli gridai, come se all'improvviso fosse diventato sordo. «Ero nel vestibolo e restai ad ascoltare e così sentii tutto quello che vi diceste, tu e la nonna.»

«E non hai mai detto una sola parola?»

«A che cosa sarebbe servito?»

Sedette guardingo sull'orlo del mio letto, come se non volesse disturbarmi mentre facevo la valigia. «Avresti voluto che ti lasciassi là?»

La sua ottusità mi mandò su tutte le furie. «No, naturalmente, non era quello che volevo. Sono stata contenta di restare con te, non avrei voluto niente di diverso, ma questo è stato sette anni fa e ora sono adulta e tu non avevi alcun diritto di nascondermi quelle lettere e non dirmi neppure una parola.»

«Ma desideri tanto ritornare laggiù?»

«Sì, lo desidero. Amo Elvie, sai benissimo quanto significa per me.» Presi dal cassettone la spazzola dei capelli, le mie fotografie e le cacciai con forza negli angoli della valigia. «Io... non avrei detto nulla di quelle lettere perché pensavo che ci saresti rimasto male, e poi non potevo comunque andarmene, perché dovevo star qui a occuparmi di te. Ma ora le cose sono diverse.»

«Va bene, sono diverse e tu te ne vai. Non intendo fermarti. Ma come pensi di arrivare fino in Scozia?»

«David Stewart parte da La Carmella alle undici. Se mi sbrigo faccio in tempo a raggiungerlo. Lui ha prenotato un posto per me sull'aereo per New York di domani mattina.»

«E quando pensi di ritornare?»

«Oh, non lo so. Un giorno o l'altro, penso.» Ficcai nella valigia un libro, *Gift from the Sea* di Anne Morrow Lindbergh, di cui non posso fare a meno, e il mio LP di Simon & Garfunkel e abbassai la falda di chiusura, ma la valigia era troppo piena; così la riaprii e cercai con gesti frenetici di spianare il contenuto, ma non riuscivo ugualmente a chiuderla. Alla fine fu mio padre che lo fece per me, usando la forza bruta, premendo con tutto il suo peso e facendo scattare le molle delle serrature.

Incontrai il suo sguardo di sopra la valigia chiusa. Dissi: «Non sarei partita se non fosse venuta Linda...». La voce mi tremò e si spense. Presi l'impermeabile dal gancio dietro la porta e me lo infilai sopra la camicetta e i jeans.

Mio padre disse: «Hai ancora addosso il grembiule».
Era una di quelle cose per cui, in un altro momento, saremmo scoppiati a ridere. Ora, in un silenzio mortale, allungai le mani sulla schiena a slacciarlo, me lo strappai dal collo e lo gettai sul letto.

Dissi ancora: «Se prendo la macchina e la lascio al motel, potete poi, tu o Linda, venire a prenderla?».

«Certo» disse mio padre. E poi: «Aspetta...».
Scomparve nella sua camera e ritornò un attimo dopo con un pugno di denaro in mano, biglietti da cinque, da dieci dollari, da un dollaro, tutti sporchi e raggrinziti come carta di vecchi giornali. «Ecco» disse, e li infilò nella tasca del mio impermeabile. «Prendi questi. Potrebbero servirti.»

«Ma tu...» cominciai, ma Linda e Mitzi scelsero proprio quel momento per tornare dalla spiaggia, Mitzi spargendo sabbia su tutto il pavimento e Linda estasiata da quel suo primo breve incontro con la natura.

«Oh, quelle onde, non avevo mai visto niente di simile. Devono essere alte almeno tre metri.» In quel momento si accorse della valigia, del mio impermeabile e della mia faccia probabilmente stravolta. «Jane, ma che cosa stai facendo?»

«Me ne vado.»

«Dove, per l'amor del cielo?»

«In Scozia.»

«Spero che non sia per causa mia.»

«In parte. Ma soltanto perché questo significa che rimane qualcuno a occuparsi di papà.»

Lei parve un po' sconcertata, come se occuparsi

di papà fosse l'ultima cosa che aveva pensato di dover fare, ma stette al gioco, nascose la sorpresa e cercò di fare buon viso. «Be', sarà un bel viaggio per te. Quando pensi di partire?»

«Oggi. Ora. Prendo la macchina per andare su fino a La Carmella...» Avevo già cominciato a muovermi, perché la situazione stava diventando più pesante di quanto potessi sopportare. Mio padre sollevò la mia valigia e mi seguì. «E spero che passerete un buon inverno. Che non ci saranno troppe burrasche. E nel frigorifero ci sono delle uova e del tonno in scatola...»

Scesi i gradini del portico posteriore, mi trovai fuori di casa, dovetti piegarmi per passare sotto il bucato steso al vento (Linda avrebbe avuto il buon senso di ritirarlo?) e girai intorno all'auto di papà, mentre lui caricava la valigia sul sedile posteriore.

«Jane...» Ma io ero incapace di dire addio. Stavo già salendo quando mi ricordai di Rusty. Ma ormai era troppo tardi. Mi aveva sentito, aveva sentito sbattere lo sportello dell'automobile, accendere il motore ed era schizzato fuori di casa, mi arrivò addosso come una fucilata, abbaiando indignato, correndo a fianco della macchina, le orecchie abbassate, piatte contro la testa, in imminente pericolo di vita.

Fu l'ultima goccia. Fermai la macchina. Mio padre arrivò di corsa all'inseguimento del cane, tuonando a gran voce: «Rusty!». Rusty si arrestò sulle zampe posteriori e cominciò a grattare furiosamente lo sportello dell'automobile. Io mi sporsi verso di lui e cercai di staccarlo. «Oh, Rusty, non fare così. Stai giù. Non posso portarti con me. Non posso portarti via.»

Correndo papà ci aveva raggiunti. Sollevò Rusty fra le braccia e restò lì a guardarmi. Gli occhi di Rusty erano dolenti e pieni di rimprovero. Mio padre aveva sul viso un'espressione che non gli avevo mai visto prima e che non riuscivo pienamente a comprendere. In quel momento mi resi conto che non avevo detto addio a nessuno dei due, che non volevo farlo e scoppiai in lacrime.

«Baderai tu a Rusty, vero?» esclamai con voce di pianto. «Chiudilo in casa, perché non mi corra dietro. E stai attento che non vada sotto qualche macchina. E ricordati che gli piacciono soltanto le scatolette di Red Heart, non le altre qualità. E non lasciarlo andare solo sulla spiaggia, qualcuno potrebbe portarselo via.» Cercai affannosamente il fazzoletto, ma come al solito non lo trovai e, come al solito, mio padre cercò il suo in fondo a una tasca e me lo porse in silenzio. Mi soffiai il naso e poi sollevai le braccia per attirarlo verso di me e lo baciai, lui e anche Rusty e dissi addio. E papà disse: «Addio, cucciolo mio» un nome che non mi aveva più dato da quando avevo sei anni e piangendo più forte che mai, quasi del tutto incapace di vedere qualcosa davanti a me, partii senza voltarmi indietro neppure una volta. Ma sapevo che erano là e che sarebbero rimasti a guardarmi fino a quando non sarei stata oltre il dorsale della strada, non più visibile per loro.

Erano le undici meno un quarto quando entrai nella reception del motel. L'uomo che sedeva dietro il banco guardò la mia faccia arrossata e bagnata di lacrime senza alcun interesse, come se donne piangenti entrassero e uscissero durante tutto il corso della giornata.

Domandai: «Il signor David Stewart è già partito?».

«No, è ancora qui. Deve ancora pagare il conto del telefono.»

«Qual è il numero della sua camera?»

L'uomo guardò nel registro. «Trentadue.» Il suo sguardo passò sul mio impermeabile, sui miei jeans, sulle mie scarpe da ginnastica macchiate e la sua mano si allungò istintivamente verso il telefono. «Vuole vederlo?»

«Sì, per favore.»

«Lo chiamo... Lo avverto che lei sta arrivando. Il suo nome, prego?»

«Jane Marsh.»

Chinò la testa in direzione della porta, dandomi via libera. «Numero trentadue» disse.

Senza vedere nulla, mi avviai per un sentiero coperto che correva lungo una piscina molto grande, di un azzurro intenso. Due donne stavano sdraiate in poltrone da spiaggia e i loro bambini nuotavano e giocavano nell'acqua strillando e lottando per un anello di gomma. Prima che fossi arrivata a metà strada, David Stewart già mi veniva incontro. Appena lo vidi, cominciai a correre e, con grande interesse delle due signore e anche con mia grande sorpresa, finii direttamente nelle sue braccia. Lui mi accolse in un rassicurante abbraccio e poi mi staccò da sé e disse: «Che cosa è accaduto?».

«Nulla è accaduto.» Ma già avevo ricominciato a piangere. «Vengo con lei.»

«Perché?»

«Ho cambiato idea, ecco tutto.»

«Perché?»

Non avevo alcuna intenzione di raccontargli tutto lì per lì, ma le parole cominciarono a uscirmi di bocca quasi a mia insaputa. «Papà ha un'amica e lei è venuta da Los Angeles... e lei... lei ha detto...»

Lui gettò un'occhiata alle due donne che ci fissavano e disse: «Venga con me». Mi guidò nella quiete della sua camera, mi fece entrare e richiuse la porta alle nostre spalle.

«Dunque» esclamò.

Mi soffiai nuovamente il naso e feci un vero sforzo per riprendermi.

«È soltanto che ora ha qualcuno che si occupa di lui. Così io posso partire con lei.»

«Gli ha parlato delle lettere?»

«Sì.»

«Ed è dispiaciuto che lei parta?»

«No. Ha detto che va benissimo.»

David rimase in silenzio. Lo guardai e vidi che aveva voltato la testa e ora mi stava guardando con la coda dell'occhio. Avrei scoperto molto più tardi che quella era un'abitudine che aveva preso nel corso degli anni a causa della vista non perfetta che lo costringeva a portare gli occhiali, ma in quel momento la cosa era sconcertante e mi metteva a disagio. Mi sentivo inchiodata al muro.

Addolorata dissi: «Non vuole più che venga con lei?».

«Non si tratta di questo. È soltanto che non la conosco abbastanza bene per sapere fino a che punto mi sta dicendo la verità.»

Ero troppo infelice per sentirmi offesa. «Io non mento mai» dissi. E poi mi corressi: «E quando mi capita di farlo cambio faccia e divento tutta rossa. E papà ha detto veramente che va bene». Per provarglielo affondai una mano nella tasca dell'impermeabile e ne trassi un pugno di dollari accartocciati. Alcuni dei biglietti caddero per terra, si posarono sul tappeto come foglie d'autunno. «Mi ha persino dato dei soldi da spendere.»

David si chinò a raccogliere i dollari caduti e me

li porse. «Però, Jane, penso proprio che dovrei fare in modo di vederlo prima della nostra partenza. Potremmo...»

«Io non sarei in grado di dirgli addio un'altra volta.»

Il suo volto perse ogni espressione di severità. Mi sfiorò il braccio. «Resti qui, allora. Non starò via più di un quarto d'ora.»

«Promesso?»

«Promesso.»

Così se ne andò e io mi aggirai per la stanza che egli aveva occupato, lessi un po' il giornale e rimasi a guardare dalla porta aperta. Infine andai in bagno e mi lavai la faccia e le mani, mi pettinai e trovai un elastico con il quale mi fermai i capelli all'indietro. Poi uscii e andai a sedermi accanto alla piscina, aspettandolo, e quando ritornò ed ebbe caricato il nostro bagaglio sull'automobile, salii accanto a lui e partimmo, diretti verso l'autostrada che portava a sud, verso Los Angeles. Ci fermammo per una notte in un motel vicino all'aeroporto e il giorno seguente prendemmo l'aereo per New York. La notte partimmo per Londra e solo quando fummo sopra l'Atlantico, quasi a metà del viaggio, mi ricordai del ragazzo che sarebbe venuto la domenica successiva per portarmi a fare surf.

1 - to brush against - to graze - be on the verge of

2 - to get around
aggirarsi - to wander around

4

Avevo trascorso la maggior parte della mia vita a
Londra, ma ritornarci ora fu come arrivare in una
città che non avevo mai visto prima, tanto era cambiata. Gli edifici dell'aeroporto, le strade che lo con-
giungevano alla città, il profilo delle costruzioni
contro il cielo, gli enormi palazzi, altissimi, il traffico... tutto questo si era venuto formando negli ultimi sette anni. Nel tassì me ne stavo accantucciata in
un angolo, la valigia ai miei piedi; c'era una tale
nebbia che le strade erano ancora illuminate. L'aria
era fredda e umida in una maniera che avevo dimenticato.

In aereo non avevo dormito ed ero intontita dalla
stanchezza; avevo la nausea per quei pasti impossi-
bili che mi erano stati serviti alle due del mattino,
almeno secondo il mio orologio, che avevo lasciato
sul fuso della California. Il lungo viaggio mi aveva
lasciato tutto il corpo indolenzito, mi facevano male
la testa, gli occhi, e mi sentivo la bocca impastata;
gli abiti che portavo mi sembrava di averli addosso
da una vita.

Passammo enormi manifesti, cavalcavia, file lun-
ghissime di case, Londra ci accolse e ci avvolse. Il

tassì svoltò a diversi semafori, puntò verso una strada incurvata, orlata di auto parcheggiate, e andò ad arrestarsi davanti a una lunga fila di alti palazzi del primo periodo vittoriano.

Li guardai senza capire, chiedendomi soltanto che cosa avrei dovuto fare ora. David si sporse davanti a me per aprirmi lo sportello e disse: «Ecco, siamo arrivati, ora dobbiamo scendere».

«Eh?» Lo guardai e mi chiesi meravigliata come possano esserci degli uomini che riescono a sorvolare non stop metà del globo – un'esperienza per me assolutamente distruttiva – continuando ad avere un aspetto pulito, sereno e a restare del tutto padroni della situazione. Ubbidiente, cascai fuori dal tassì e rimasi immobile sul marciapiedi, sbattendo gli occhi come un gufo e sbadigliando, mentre lui pagava il tassista, raccoglieva il nostro bagaglio e mi precedeva verso una rampa di scale che portavano a un seminterrato. Le ringhiere della scala erano nere lucenti, l'entrata era pulita e ben ordinata e c'era anche un tronco di legno scavato a portafiori pieno di gerani... un po' fuligginosi, ma ancora freschi, di un bel rosso vivace. David si tolse di tasca una chiave, la porta gialla che avevamo davanti si aprì verso l'interno e io lo seguii ciecamente nell'appartamento.

Era tutto intonacato di bianco, aveva il buon odore delle vecchie case di campagna, il pavimento era coperto di tappeti persiani e il divano e le poltrone erano rivestiti di un bel chintz fiorito. Intorno, piccoli mobili antichi tirati a lucido e sopra il caminetto un grande specchio veneziano. Vidi molti libri e pile di riviste, una vetrinetta piena di belle porcellane di Dresda, cuscini a piccolo punto sparsi qua e là... e, oltre le finestre dal lato opposto della stanza, un minuscolo giardinetto con in mezzo un platano attorniato da un sedile di legno e, in una parete di mattoni, sbiaditi una statuetta chiusa in una nicchia.

Restai immobile, continuando a sbadigliare. Lui andò ad aprire le finestre e io chiesi: «Questo è il suo appartamento?».

«No, è di mia madre, ma lo uso quando vengo a Londra.»

Mi guardai intorno con occhio vago. «E dov'è sua madre?» domandai. Dal tono della mia voce si sarebbe detto che immaginassi che fosse nascosta sotto il divano, ma lui non sorrise.

«È nel sud della Francia, in vacanza. Venga ora, si tolga l'impermeabile e si metta comoda. Io andrò a preparare una tazza di tè.»

Scomparve dietro una porta e udii il rumore di un rubinetto che si apriva, un bollitore che si riempiva. Una tazza di tè. Il semplice suono di quelle parole aveva qualcosa di confortante, sapeva di casa. Una tazza di tè... Ricordi d'infanzia, di giochi lontani. Una tazza di tè. Cominciai a brancicare intorno ai bottoni del mio impermeabile fino a che riuscii ad aprirli, mi tolsi il cappotto e lo deposi su quella che pareva una sedia Chippendale. Mi lasciai cadere sul divano. Aveva dei bei cuscini di velluto verde, color del fogliame; ne presi uno, lo misi in posizione sotto la testa e credo di essermi addormentata prima ancora di essere riuscita a sollevare i piedi dal pavimento. Comunque, di certo non ricordo come accadde.

Quando mi svegliai la luce era cambiata. Un lungo raggio di sole, in cui danzavano mille granelli di pulviscolo, tagliava l'aria come un faro di fronte al mio sguardo. Mi mossi e mi sfregai gli occhi. Abbassai lo sguardo e vidi una coperta stesa su di me, calda e leggera.

Nel caminetto fiammeggiava un bel fuoco. Continuai a guardarlo per parecchio tempo, prima di accorgermi che era un caminetto elettrico, con i ciocchi finti e le fiamme e il carbone, tutto finto. Ma in quel momento mi apparve infinitamente confortevole. Volsi leggermente la testa e vidi David, sprofondato in una poltrona, affogato fra carte e dossier. Ora era vestito in modo diverso, una camicia azzurra con sopra un pullover color crema dalla scollatura a V. Mi domandai, in maniera quanto mai distaccata, se era una di quelle persone che non hanno mai bisogno di dormire. Lui si era accorto di me e ora mi stava guardando.

Domandai: «Che giorno è?».

Parve divertito. «Mercoledì.»

«Dove siamo?»

«A Londra.»

«No. Voglio dire in che quartiere?»

«Kensington.»

Dissi: «Noi abitavamo in Melbury Road. È lontano?».

«No. Piuttosto vicino.»

Dopo un po'. «Che ore sono?»

«Quasi le cinque.»

«Quando partiamo per la Scozia?»

«Questa sera. Abbiamo due cabine prenotate sul *Royal Highlander*.»

Con uno sforzo enorme mi sollevai a sedere, sbadigliai e tentai di allontanare il sonno e i capelli che mi ricadevano sulla faccia. Dissi: «Crede che potrei fare un bagno?».

«Ma certo che può» rispose lui.

Così feci un bel bagno, acqua bollente in quan-

affocare – to sink

tità, non molta schiuma e manciate di sali di sua madre, che lui gentilmente mi aveva messo a disposizione. Quando uscii dal bagno, frugai nel mio bagaglio e trovai degli abiti puliti, li indossai e riuscii a ricacciare quelli sporchi nella valigia che, non so come, richiusi nuovamente. Così tornai in soggiorno e trovai che David aveva preparato il tè e che c'erano toast imburrati e un piatto di biscotti al cioccolato, veri biscotti al cioccolato, non quei dolcini che ti danno in America, che hanno solo l'odore di cioccolato.

«Sono di sua madre?» domandai.

«No. Sono uscito e li ho comprati mentre lei dormiva. C'è un negozietto qui all'angolo, molto comodo quando viene a mancare qualcosa in casa.»

«Sua madre vive qui da sempre?»

«No, affatto, solo da poco più di un anno. Prima aveva una casa nell'Hampshire, ma da ultimo era diventata troppo grande per lei e il giardino dava troppo da fare... è molto difficile trovare un aiuto. Così si decise a venderla, tenne solo le cose che le erano più care e si trasferì qui.»

Questo spiegava l'atmosfera di casa di campagna che regnava nell'appartamento. Guardai fuori nel piccolo patio e dissi: «E anche qui ha il giardino».

«Sì, piuttosto piccolo. Ma questo lo può curare da sola.»

Presi un altro toast e cercai di immaginare mia nonna in una simile situazione, ma non era possibile. La nonna non si sarebbe mai lasciata sconfiggere dalle proporzioni di una casa o dalla quantità di lavoro che doveva fare, o dalle difficoltà di trovare o tenere cuoche o giardinieri. In effetti la signora Lumley era con lei da quando io avevo memoria, ben piantata sulle sue gambe gonfie davanti al tavolo di cucina a spianare col mattarello la pasta per i nostri dolci. E Will, il giardiniere, aveva un piccolo cottage e un modesto appezzamento di terreno per conto suo, dove coltivava patate e carote ed enormi crisantemi.

«Così lei non ha mai vissuto in questo appartamento?»

«No, ma ci soggiorno ogni volta che vengo a Londra.»

«Succede spesso?»

«Abbastanza.»

«Lei vede mai Sinclair?»

«Lo vedo, certo.»

«Che cosa fa?»

«Lavora per un'agenzia di pubblicità. Credevo che lei lo sapesse.»

Mi venne in mente che avrei potuto telefonargli. Dopotutto lui viveva a Londra, ci sarebbe voluto solo un attimo per cercare il suo numero sulla guida. Pensai di farlo, ma alla fine decisi di no. Non ero del tutto sicura della reazione di Sinclair e non volevo che David Stewart fosse testimone di una mia eventuale delusione.

«Avrà un'amica?»

«A centinaia, direi.»

«No, sa bene che cosa voglio dire. Qualche ragazza molto speciale.»

«Jane, davvero non glielo saprei dire.»

Immersa nei miei pensieri, mi leccai attentamente il burro caldo dalla punta delle dita.

«Pensa che verrà a Elvie quando sarò là?» domandai.

«Dovrà farlo.»

«E suo padre? Lo zio Aylwyn sta sempre in Canada?»

David Stewart risollevò con un lungo dito bruno gli occhiali che gli erano scivolati sul naso. Disse: «Aylwyn Bailey è morto, circa tre mesi fa».

Lo fissai. «Come? Ma io non l'ho mai saputo. Oh, povera nonna. Ne è rimasta molto sconvolta?»

«Sì, in effetti...»

«E il funerale e tutto quanto...»

«In Canada. Era malato da parecchio tempo. Non è più riuscito a tornare a casa.»

«Allora Sinclair non lo ha più rivisto.»

«No.»

Ripensai a quanto mi era stato detto sentendomi molto triste. Pensai a mio padre, irritante quanto poteva essere, e fui certa che per niente al mondo avrei voluto rinunciare a un solo istante che avevamo vissuto insieme. A quel pensiero mi sentii ancora più triste per Sinclair e rammentai che ai vecchi tempi ero stata io a provare invidia per lui, perché io a Elvie ci andavo solo per le vacanze, mentre lui viveva laggiù tutto l'anno. Elvie era la sua casa. E in quanto a soffrire per la mancanza del padre, a Elvie c'erano sempre una quantità di uomini; infatti, a parte Will, il giardiniere – al quale noi tutti volevamo bene –, c'era Gibson, il fattore, un uomo arcigno ma pieno di saggezza in tutti i sensi, e i due figli di Gibson, Hamish e George, che avevano quasi la stessa età di Sinclair e lo portavano sempre con sé, in tutte le loro imprese, *(1)* più o meno legali. E così lui aveva imparato a sparare *(2)* *(3)* e a catturare gli animali, a giocare a cricket e ad arrampicarsi sugli alberi e, in un modo o in un altro, godeva sempre di molte più attenzioni degli altri ragazzi della sua età. No, volendo considerare bene le cose, a Sinclair non era mancato quasi nulla.

1 - venture, business   3 - capture
2 - to shoot

Prendemmo il *Royal Highlander*, il direttissimo della notte, dalla stazione di Euston e mi parve poi di avere passato metà del tempo a saltar fuori dal letto per guardare dal finestrino, assaporando il fatto meraviglioso che il treno correva verso il nord e che nulla, se non qualche disastrosa volontà di Dio, avrebbe potuto fermarlo. A Edimburgo fui svegliata da una voce femminile, che suonava al mio orecchio come Maggie Smith nella parte di Miss Jean Brodie, che recitava «Edinburgh Wawerley. Questo è Edinburgh Wawerley», e seppi che ero in Scozia. Mi alzai, infilai l'impermeabile sopra la camicia da notte e sedetti sopra il coperchio del lavabo per guardare tutte le luci di Edimburgo scivolare via. Rimasi in attesa del ponte, finché il treno, emettendo all'improvviso un suono del tutto singolare, si gettò sopra il Forth e il fiume rimase miglia sotto di noi, un luccichio di acque buie, toccate appena dalle luci in movimento di un'imbarcazione in miniatura.

Tornai a infilarmi a letto e rimasi a poltrire fino a quando arrivammo a Relkirk. Qui mi alzai di nuovo, aprii il finestrino ed entrò l'aria fredda, profumata dall'aroma della torba e dei pini. Eravamo al limite delle Highlands. Erano soltanto le cinque e un quarto, ma mi vestii e passai l'ultima parte del viaggio con la guancia premuta contro il vetro del finestrino, contro il buio trafitto dalle gocce di pioggia. Potevo vedere ben poco, in un primo momento, ma quando il treno ebbe arrancato fin oltre il passo e iniziato la lunga discesa che si snoda dolcemente, per gradi, per condurre finalmente a Thrumbo, stava ormai albeggiando. Il sole non si vedeva ancora, soltanto un semplice e impercettibile schiarirsi della luce. Le nubi erano enormi, gonfie e grigie, morbidamente adagiate sulle cime delle colline. Quando cominciammo a scendere giù per la vallata, si assottigliarono e si dispersero nel nulla e il grande spazio aperto della valle apparve davanti a noi, bruno dorato e quieto nella prima luce mattutina.

Bussarono alla mia porta e l'inserviente mise dentro la testa.

«Il signore aspetta di sapere se è sveglia. Saremo a Thrumbo fra dieci minuti o poco più. Posso prendere la sua valigia?»

La prese, la porta si richiuse alle sue spalle, e io ritornai al finestrino, perché ora la campagna cominciava a essermi più nota, più familiare e non volevo perdere un solo istante, non un singolo particolare. Su quella strada avevo camminato, in quei campi avevo cavalcato sul mio pony scozzese, in quel cottage bianco che compariva ora ero stata invitata a prendere il tè. E poi veniva il ponte, che segnava i confini del villaggio e la stazione di servizio e l'albergo elegante sempre pieno di ospiti piuttosto anziani, dove noi ragazzi non potevamo neppure fermarci a bere qualcosa.

La porta si aprì di nuovo e questa volta David Stewart si stagliò sulla soglia, colmandola con la sua alta figura.

«Buongiorno.»

«Salve.»

«Come ha dormito?»

«Benissimo.»

Ora il treno rallentava, frenava. Passammo oltre la cabina delle segnalazioni, sotto il ponte. Scivolai dal mio posto sopra il lavabo e lo seguii fuori nel corridoio e oltre la sua spalla vidi la grande scritta che diceva Thrumbo passare trionfalmente. Poi il treno si arrestò e fummo arrivati.

David aveva lasciato la sua macchina in un garage, perciò mi abbandonò per un momento nel cortile della stazione mentre andava a prenderla. Sedetti sulla mia valigia nel cuore del paese deserto che si andava lentamente risvegliando e rimasi a osservare le luci che si accendevano a una a una, i comignoli che prendevano a fumare. Un uomo scese giù per la strada su una bicicletta. E poi udii, sopra di me, molto in alto, una salva di grida e di richiami e un gran schiamazzo che diventò più forte e mi passò sopra la testa, ma io non riuscii a vedere nulla perché la formazione delle oche selvatiche volava proprio sopra la nuvola.

Elvie Loch, il lago di Elvie, si trova a circa due miglia oltre il paese di Thrumbo, ed è una selvaggia distesa d'acqua chiusa a nord dalla strada statale che porta a Inverness e circondata, nella sponda opposta, dal grande bastione delle montagne di Cairngorms. Elvie stessa è quasi un'isola, con una forma che ricorda vagamente un fungo, legata alla terraferma dal gambo, una stretta striscia non più larga di una strada rialzata fra paludi ricche di canne, nido ideale per centinaia di uccelli.

Per molto tempo quei terreni erano appartenuti alla Chiesa e infatti vi erano ancora le rovine di una minuscola cappella, ora scoperchiata e deserta; il piccolo cimitero che la circondava, invece, era ancora in uso, ben tenuto e curato, la siepe di tasso ben tagliata e il muschio tenero come velluto. In primavera tutto si animava di giunchiglie selvatiche che dondolavano le testoline al vento.

La casa in cui viveva mia nonna era stata la casa parrocchiale di quella chiesetta. Con l'andar degli anni, però, aveva oltrepassato di molto le sue modeste dimensioni originali, ogni volta che un'ala nuova veniva aggiunta per ospitare, si può immaginare, grandi famiglie vittoriane. Dal retro, dove arrivava la strada, la casa appariva alta e piuttosto cupa, poiché le finestre che affacciavano sul lato nord erano piccole e rade, allo scopo di mantenere il calore all'interno durante i rigidi inverni; l'ingresso principale era modesto, privo di ogni imponenza, e di solito rimaneva chiuso. La casa pareva una fortezza per via delle alte mura del giardino, che si estendevano su entrambi i lati della costruzione a est e a ovest, allungandosi come braccia a cingerla e sulle quali mia nonna, tanto abile in tutto, non era mai riuscita a far attecchire dei rampicanti.

Ma, dall'altro lato, Elvie era completamente diversa. L'antica costruzione bianca, protetta e racchiusa fra quelle mura e rivolta tutta a sud, sonnecchiava felicemente al sole. Porte e finestre erano sempre spalancate ad accogliere l'aria fresca e il giardino scendeva digradando verso uno steccato, che divideva la proprietà da un campo piuttosto stretto dove un contadino del vicinato faceva pascolare il suo bestiame. Il campo scendeva fino alla riva del lago, lo sciacquio delle piccole onde sui ciottoli e il lieve rumore degli animali che brucavano erano suoni così costanti e caratteristici di Elvie, da diventare col tempo impercettibili. Solo quando si era stati lontani e si ritornava si avvertivano completamente, si sentivano come una cosa nuova.

L'automobile di David Stewart fu una sorpresa, una T.R.4 scura, insospettatamente brillante per un signore dall'aria così solidamente borghese. Caricammo tutto il nostro bagaglio e lasciammo Thrumbo e io sedetti al mio posto tutta protesa in avanti, palpitante di eccitazione. Punti di riferimento a me familiari apparivano all'improvviso e svanivano subito alle nostre spalle. Il garage, il negozio di dolciumi, la fattoria dei McGregors e in un attimo fummo in aperta campagna. La strada si snodava fra i campi di stoppie dorate, le siepi erano rosse di bacche scarlatte o di rose selvatiche e si intravedeva il passaggio del primo gelo, poiché molti alberi erano spennellati di oro e di rosso, i primi colori dell'autunno.

E poi svoltammo l'ultimo angolo e il lago apparve sulla destra, grigio nel grigiore della prima mattina, le montagne sul lato opposto ancora perdute nelle nuvole. E mezzo miglio più avanti si levava Elvie, la casa nascosta fra gli alberi e la chiesetta scoperchiata dall'aria così romanticamente desolata. L'eccitazione mi aveva ammutolita. Con una sensibilità rara in un uomo, David Stewart non fece alcun commento. Avevamo fatto insieme un lungo viaggio, venivamo da tanto lontano che era quasi difficile comprendere il nostro mutismo, ma fu in silenzio che passammo finalmente oltre il cottage all'angolo della strada. L'auto svoltò nella via orlata dalle alte siepi fra i canneti, che sbucava sul viale dei faggi color rame, e si arrestò davanti alla porta di casa.

Saltai fuori dall'automobile in un attimo, attraversando di corsa lo spazio inghiaiato davanti alla casa, ma la nonna fu più svelta di me. La porta si aprì e lei apparve e ci incontrammo così, le braccia tese a stringerci l'una all'altra, mentre lei continuava a ripetere il mio nome, e la sua persona emanava il profumo di quei sacchetti aromatici che lei usa mettere fra i vestiti. Mi dissi che nulla era cambiato.

5

Rivedersi dopo tanti anni crea sempre una certa confusione. Ci ritrovammo a dire cose del genere: «Oh, sei davvero qui...», e «Non credevo proprio che ce l'avresti fatta...», e «Hai fatto buon viaggio...», e ancora «È tutto proprio come una volta». E ci abbracciavamo, ci scioglievamo dall'abbraccio per guardarci, ridevamo delle nostre idiozie e tornavamo ad abbracciarci.

I cani aumentarono il gran trambusto uscendo di casa a tutta velocità per gettarsi incontro a noi, abbaiando furiosamente ai nostri piedi, chiedendo la nostra attenzione. Erano degli spaniel bianchi e marrone, non li avevo mai visti e tuttavia mi erano familiari, perché a Elvie c'erano sempre stati degli spaniel bianchi e marrone e questi non potevano che essere discendenti di quelli che ricordavo. Avevo appena cominciato a salutare i cani, quando fummo raggiunti dalla signora Lumley, che aveva udito il nostro fracasso e non aveva saputo resistere alla tentazione di partecipare al primo incontro. Era più grassa che mai nel suo grembiulone verde e comparve sulla porta di casa con un sorriso che si allargava da un orecchio all'altro; volle essere subito baciata e cominciò a dire quanto ero terribilmente cresciuta e quanto fossero cresciute anche le mie lentiggini. Annunciò che avrebbe preparato una grande, specialissima colazione.

Dietro di me, David stava silenziosamente scaricando dalla macchina la mia valigia. La nonna andò a salutarlo. «David, lei deve essere stanco morto.» Con mia sorpresa gli diede un bacio. «Grazie per avermela riportata a casa sana e salva.»

«Ha ricevuto il mio telegramma?»

«Certo che l'ho ricevuto. Sono in piedi dalle sette. Ora entri e venga a fare colazione con noi. Aspettavamo anche lei.»

Ma lui si scusò dicendo che la sua governante lo stava attendendo, doveva tornare a casa, cambiarsi e poi andare in ufficio.

«Bene, allora ritorni questa sera per cena. La prego, insisto. Alle sette e mezzo. Vogliamo che ci racconti tutto.»

David si lasciò convincere e noi ci guardammo con un sorriso. Con una certa sorpresa mi resi conto che lo conoscevo solo da quattro giorni eppure ora, giunto il momento di salutarci, per me era come lasciare un vecchio amico, qualcuno che frequentavo da una vita. Gli era stato affidato un compito molto difficile e lui lo aveva portato a termine con tatto e intelligenza, sempre di buon umore e, per quanto ne sapevo, senza urtare la suscettibilità di nessuno.

«Oh, David...»

Lui prevenne frettolosamente i miei confusi ringraziamenti.

«Ci vediamo questa sera, Jane.» Tornò verso la macchina, salì e sbatté con forza lo sportello, e noi restammo a guardarlo mentre girava intorno allo spiazzo davanti alla casa e si allontanava sotto i faggi, giù per la strada, per scomparire dietro l'angolo.

«Un uomo tanto caro» esclamò la nonna rimanendo per un attimo assorta. «Non lo pensi anche tu?»

«Sì» risposi «un tesoro.» E mi buttai a capofitto per impedire alla signora Lumley di sollevare la mia valigia; la portai io stessa dentro casa e la nonna e i cani mi seguirono, la porta fu richiusa, David Stewart per un momento dimenticato.

Mi sentii assalire dall'aroma del fumo di torba che veniva dal camino nell'ingresso e dal profumo delle rose raccolte in un grande vaso basso sul cassettone accanto all'orologio. Uno dei cani mi stava addosso ansimante, sbattendo con forza la coda per l'eccitazione; mi chinai a carezzargli le orecchie. Stavo per raccontare di Rusty, quando la nonna disse: «Ho preparato una sorpresa per te, Jane». Mi raddrizzai, alzai gli occhi e vidi un uomo scendere le scale e venirmi incontro, la figura illuminata dalla luce che veniva dalla finestra a metà scala. Per un attimo fui accecata da quella luce e poi lui disse: «Salve, Jane». Mi resi conto che era mio cugino Sinclair.

Restai a bocca aperta, mentre la nonna e la signora Lumley ci guardavano, estasiate dal successo della sorpresa che mi avevano preparato. Lui ora mi era vicino, mi prendeva per le spalle e si chinava per baciarmi, quasi prima ch'io avessi ripreso fiato e potessi esclamare debolmente: «Ma io credevo che tu fossi a Londra».

«Bene, non sono a Londra. Sono qui.»

«Ma come...? Perché...?»

«Ho qualche giorno di permesso.»

Per il mio arrivo? Si era preso un permesso per poter essere a Elvie al mio ritorno? L'ipotesi era lusinghiera ed eccitante, ma prima che potessi dire di più, la nonna riprese a dirigere la situazione.

«Bene, non c'è ragione ora di restare qui impalati... Sinclair, vuoi essere tanto gentile da portare la valigia di Jane nella sua camera e poi, mia cara, quando ti sarai lavata le mani, vieni giù e faremo colazione. Devi essere stanca morta dopo il lungo viaggio.»

«Non sono stanca.» E in effetti non lo ero. Mi sentivo sveglissima e piena di energia e pronta a ogni cosa. Sinclair afferrò la mia valigia e prese a salire la scala, due gradini alla volta e io lo seguii, accordando il mio passo alle sue lunghe gambe, come se avessi le ali ai piedi.

La mia camera, che guardava sul giardino e sul lago, era incredibilmente ordinata e tirata a lucido, ma per il resto era tale e quale l'avevo lasciata. Il letto era ancora nel vano della finestra, dove avevo sempre preferito tenerlo, perché mi piaceva dormire dove potessi guardar fuori. Sul tavolino da toilette c'era un portaspilli, nell'armadio i sacchetti di lavanda e per terra lo scendiletto azzurro che copriva i punti più logori del vecchio tappeto.

Mentre mi toglievo l'impermeabile e mi lavavo le mani, Sinclair si lasciò andare pesantemente sul mio letto, spiegazzando senza riguardo la bella coperta bianca inamidata. Mi guardava. Nei sette anni che erano passati era cambiato, naturalmente, ma quel che notavo ora in lui era un mutamento impercettibile, troppo sottile per essere espresso a parole. Era più magro, certo, e c'erano piccole rughe appena accennate intorno alla bocca e agli angoli degli occhi, ma questo era tutto. Era un ragazzo molto bello, con sopracciglia scure, lunghe ciglia e occhi di un azzurro intenso, leggermente a mandorla, che gli davano un'espressione affascinante. Il naso era diritto e la bocca piena, ricurva, con il labbro inferiore che quando era bambino sporgeva in un piccolo broncio incantevole. I capelli erano folti, dritti e lunghi, a scendere fino all'estremità del colletto e abituata com'ero ai capelli tagliati all'americana dei ragazzi che vedevo a Reef Point, a spazzola (gli sportivi) o lunghi fino alle spalle (gli hippy), trovai che l'effetto fosse molto attraente. Quella mattina indossava una camicia azzurra con un fazzoletto di cotone annodato nello scollo e un paio di vecchi calzoni di velluto a coste, molto consunti e scoloriti, fermati alla vita da una cintura di lana intrecciata.

Cercando una conferma a quello che speravo fosse vero, dissi: «Ma davvero sei in permesso?».

«Certo» rispose lui brevemente, quindi senza confermarmi nulla.

Mi rassegnai a non indagare oltre e domandai: «Lavori in una agenzia di pubblicità?».

«Sì. Strutt e Seward. Assistente del direttore generale.»

«È un buon impiego?»

«Comprende un conto spese.»

«Vuoi dire pranzi con probabili clienti e molto alcol?»

«Non deve necessariamente essere un pranzo con molto alcol. Se il probabile cliente è una donna carina, è meglio una cenetta intima a lume di candela.»

Dovetti ignorare una fitta di gelosia. Ora ero davanti alla toilette che pettinavo la massa pesante dei miei lunghi capelli, e d'improvviso senza mutare voce o espressione lui disse: «Mi ero dimenticato quanto fossero lunghi. Tu allora portavi le trecce. Sono come di seta».

«Di tanto in tanto giuro di andare a tagliarli, ma poi non riesco mai a decidermi.» Finii di pettinarmi, deposi il pettine sul tavolino e andai a sedermi accanto a lui sul letto, inginocchiandomi per aprire la finestra e sporgermi.

«Che profumo delizioso» esclamai. «Odor di bagnato e di autunno.»

«In California non si sente odor di bagnato e di autunno?»

«Per la maggior parte del tempo l'aria odora di benzina.» Pensai a Reef Point. «Quando non odora di eucalipto o di Pacifico.»

«E com'è la vita con i pellerossa?»

Gli gettai un'occhiata di fuoco, che gli imponeva di smettere di essere offensivo e lui cambiò subito tono. «Ma davvero, Jane, avevo una terribile paura che tu tornassi masticando gomma, con grandi macchine fotografiche a tracolla dicendo "Ehi, Sin" ogni volta che mi rivolgevi la parola.»

«Sei poco aggiornato, fratello» gli dissi.

«Contestatrice, sai cosa intendo, con una targa sul petto con la scritta "Fate l'Amore, non la guerra".» Lo disse con un falso accento americano che trovai altrettanto fastidioso quanto l'essere presa in giro in California per il mio terribile accento britannico.

Glielo dissi, aggiungendo: «Ti prometto che quando comincerò a contestare, tu sarai il primo a saperlo».

Incassò con un lampo cattivo negli occhi. «Come sta tuo padre?»

«Si è fatto crescere la barba e assomiglia molto a Hemingway.»

«Lo posso immaginare.» Una coppia di anitre selvatiche piombò dal cielo atterrando sull'acqua con una piccola scia di schiuma bianca. Restammo a guardarle e poi Sinclair sbadigliò, si stiracchiò e infine mi diede un fraterno colpetto sulla schiena, dicendo che era ora di andare a fare colazione. Così ci alzammo, richiudemmo la finestra e scendemmo.

Mi accorsi di essere affamata. C'era del bacon con le uova e la marmellata amara di arance di Cooper e panini caldi, appena sfornati, che, come mi sovvenne, qui venivano chiamati *baps*. Mentre mangiavo, Sinclair e la nonna chiacchieravano del più e del meno, le chiacchiere che si fanno di solito a colazione, notizie apprese dal giornale locale, il risultato di una esposizione di fiori, una lettera che la nonna aveva appena ricevuto da un anziano cugino che era andato a vivere in un luogo chiamato Mortar.

«Perché diavolo è andato a vivere laggiù?»

«Be', la vita là è molto meno cara e il clima è caldo. Il poveretto ha sempre sofferto di una terribile forma di reumatismi.»

«E come pensa di passare il suo tempo? Portando i turisti a visitare Grand Harbour?»

Fu solo allora che mi resi conto che stavano parlando di Malta. Mortar: Malta. Mi ero proprio americanizzata, molto più di quanto avessi immaginato.

La nonna versava il caffè. La osservavo e consideravo che ormai doveva aver passato la settantina, ma che era rimasta esattamente come me la ricordavo. Era molto alta, dritta, ancora molto bella e dalla sua persona spirava un'aria di grande nobiltà. I capelli candidi erano immacolati e lucenti, gli occhi profondi sotto l'arco sottile delle sopracciglia erano di un bell'azzurro intenso, lo sguardo penetrante. (In quel momento era caldo e giovanile, incantevole, ma sapevo che era in grado di esprimere la più grande disapprovazione; bastava un semplice aggrottare delle sopracciglia e un'espressione gelida negli occhi azzurri.) Anche i suoi vestiti parevano non avere età e le si addicevano alla perfezione. Morbide gonne di tweed colore dell'erica, pullover di cashmere e lunghi cardigan. Di giorno portava sempre il suo filo di perle e un paio di orecchini di corallo a forma di goccia. La sera, invece, uno o due brillanti scintillavano sempre sull'abito di velluto scuro, poiché era abbastanza antiquata nelle sue abitudini da mantenere l'usanza di cambiarsi ogni sera per cena, anche se era soltanto una cena della domenica, in cui non si mangiava niente di più eccitante di un uovo strapazzato.

E mentre lei sedeva lì, con solenne tranquillità, a capotavola, pensai che aveva avuto ben più di una tragedia nella sua vita. Suo marito era morto e poi aveva perduto la figlia e ora il figlio, quell'uomo sfuggente che era Aylwyn che aveva scelto di vivere e di morire in Canada. Sinclair e io eravamo tutto ciò che le era rimasto. Insieme a Elvie. Ma le sue spalle rimanevano ben erette e i suoi modi vivaci, e provai un senso di gratitudine al pensiero che lei non sarebbe mai diventata una di quelle vecchie signore tristi e lamentose, che vivono in perpetuo rimpianto dei bei giorni lontani. Era troppo attiva, troppo intelligente, troppo piena di interessi. Indistruttibile, mi dissi, sentendomi riconfortata. Ecco, così era lei. Indistruttibile.

Dopo colazione Sinclair e io facemmo il rituale giro dell'isola senza tralasciare un solo angolo. Uscimmo dal cancello che portava al cimitero. Ci aggirammo fra le tombe e gettammo un'occhiata attraverso le finestre vuote della chiesetta in rovina e poi scavalcammo il muretto che dava sul campo, camminando, sotto gli occhi curiosi delle mucche al pascolo, fino alla riva del lago. Il nostro arrivo disturbò una coppia di anitre selvatiche e poi ci divertimmo a fare a gara a chi tirava più lontano i sassi piatti nell'acqua. Vinse Sinclair. Percorremmo il molo in tutta la sua lunghezza per andare a vedere la nostra vecchia barca malandata, ormai quasi inutilizzabile, e i nostri passi rimbombarono sull'assito sconnesso.

«Un giorno» dissi «queste assi cederanno.»

«Non vale la pena di far fare delle riparazioni, dal momento che nessuno usa più il molo.»

Proseguimmo lungo la riva del lago, fino al grande faggio che protendeva i suoi rami sull'acqua e sul quale, da bambini, avevamo costruito la nostra casetta, e avanti ancora, oltre il boschetto di betulle, tutto attorniato dal morbido cadere silenzioso delle foglie. Di lì tornammo a casa, passando attraverso un gruppo di piccole costruzioni che erano state il porcile, il pollaio e le stalle e una vecchia rimessa da molto tempo trasformata in garage.

«Vieni a vedere la mia automobile» disse Sinclair.

Dovemmo lottare con i grossi catenacci e l'enorme porta di legno, che si aprì fra rumorosi cigolii per lasciar vedere, a fianco della grande e solenne Daimler della nonna, una Lotus Elan giallo scuro, con la capote nera, molto bassa e dall'aspetto maledettamente pericoloso.

«Da quanto tempo ce l'hai?» domandai.

«Oh, da circa sei mesi.» Si infilò dietro il volante e accese il motore per tirarla fuori. Il motore ruggiva come una tigre infuriata e Sinclair, come un bambino che mostra il suo nuovo giocattolo, mi fece vedere tutti gli accessori: i finestrini che si azionavano elettricamente, il pulsante che rialzava la capote, l'antifurto, le coperture dei fari, che si aprivano e chiudevano come palpebre mostruose.

«A quanto va?» domandai nervosamente.

Lui alzò le spalle. «Centottanta, duecento?»

«Non con me a bordo, di sicuro.»

«Aspetta di essere invitata, bambinetta paurosa.»

«Da queste parti non potresti andare a cento all'ora senza uscire di strada.» Lui scese dalla macchina. «Non la rimetti dentro?»

«No.» Diede un'occhiata all'orologio. «Ho un appuntamento per il tiro al piccione.» In quel momento capii che ero proprio a casa. In Scozia gli uomini sono sempre in procinto di partire per andare a sparare a qualcosa, ignorando totalmente tutti i progetti che le donne possono aver fatto per loro.

«Quando ritornerai?» domandai.

«Probabilmente per il tè.» Mi fece un gran sorriso. «Ti faccio una proposta. Dopo il tè ti porterò a far visita ai Gibson. Non vedono l'ora di rivederti e ho promesso che ti avrei portata da loro.»

«Bene. Andiamoci allora.»

Tornammo a casa, Sinclair per cambiarsi e raccogliere tutti i suoi arnesi di caccia, io per andare in camera mia a disfare la valigia.

Mentre entravo, sulla porta d'ingresso mi investì un soffio di aria fredda. Rabbrividii e mi resi conto che sentivo già la mancanza del sole californiano e del riscaldamento centralizzato americano. Elvie aveva grandi mura spesse e la casa era rivolta a sud. I caminetti rimanevano accesi in continuazione e c'era sempre una gran quantità di acqua bollente, ma le camere da letto erano decisamente gelide. Disposi i miei indumenti nei cassetti vuoti e nell'armadio, giungendo tuttavia alla conclusione che nonostante fossero facilissimi da lavare e non richiedessero di essere stirati, non erano affatto caldi. Non per la Scozia. Qui avrei dovuto comprarmi abiti nuovi, più pesanti. Forse – felice idea – la nonna me li avrebbe comprati.

Con quel pensiero in mente tornai dabbasso per andarla a cercare e la incontrai che usciva dalla cucina, con un cestello in mano, con indosso stivali di gomma e un vecchio impermeabile.

Mi disse: «Stavo giusto venendo a cercarti. Dov'è Sinclair?».

«È andato a sparare.»

«Ah, sì, aveva detto che sarebbe rimasto fuori per pranzo. Vieni ad aiutarmi a raccogliere i cavoletti.»

Prima di uscire in giardino dovetti andare alla ricerca di un paio di stivali e di un vecchio giaccone e poi ci avviammo nel fresco mattino silenzioso. Questa volta ci dirigemmo verso la parte del giardino il cui confine era segnato dalle alte mura. Will, il giardiniere, era già lì. Quando ci vide arrivare, smise di zappare il terreno e ci venne incontro di buon passo, sopra la terra appena smossa, per stringermi la mano.

«Ah» esclamò «è passato molto tempo dalla sua ultima visita a Elvie.» Parlava con difficoltà, perché la dentiera la metteva solo la domenica. «E com'è la vita in America?»

Gli raccontai qualcosa dell'America e poi lui mi domandò notizie di mio padre. Io, a mia volta, gli chiesi come stesse la signora Will, sua moglie, che, come al solito, era malaticcia. Dopo di che lui tornò alla sua vanga e la nonna e io andammo a raccogliere i cavoletti.

Quando il cestello fu pieno, tornammo verso casa, ma la mattina era così fresca e tranquilla che la nonna espresse il desiderio di restare ancora un poco all'aperto. Così ci avviammo verso l'altro lato del giardino e andammo a sederci su una panchina di ferro verniciata di bianco, che guardava verso il prato e il lago fino alle montagne sullo sfondo. Le aiuole erano piene di dalie e di zinnie e di aster color porpora e l'erba rugiadosa era cosparsa delle foglie rosso scuro dell'acero canadese.

La nonna disse: «Penso sempre che l'autunno sia una stagione perfetta. Molta gente dice che è triste, ma secondo me è davvero troppo bello per essere triste».

Citai a memoria:

> È suo il settembre che viene,
> di lei che in autunno si sveglia vitale.

«Chi ha scritto questi versi?»

«Louis MacNeice. Tu ti svegli vitale?»

«Be', certamente mi capitava vent'anni fa.» Ridemmo insieme e lei mi strinse la mano. «Oh, Jane, che gioia averti di nuovo qui!»

«Me lo hai scritto tanto spesso e sarei venuta anche prima... ma davvero non è stato possibile.»

«No, naturalmente. Capisco. Ed è stato molto egoista da parte mia insistere tanto.»

«E quelle... lettere che hai scritto a papà. Io non ne sapevo niente, altrimenti lo avrei costretto a rispondere.»

«È sempre stato un uomo testardo.» Mi lanciò uno sguardo molto penetrante. I suoi occhi erano più azzurri che mai. «Non voleva che tu tornassi qui, vero?»

«Ho preso la mia decisione e lui ha dovuto rassegnarsi. Inoltre con David Stewart lì fra noi, che aspettava di portarmi via, non avrebbe potuto obiettare granché.»

«Temevo che non saresti riuscita a staccarti da lui.»

«No.» Mi chinai, raccolsi una foglia di acero e cominciai ad arrotolarla intorno alle dita. «No. Ora ha un'amica che sta con lui.»

Di nuovo quello sguardo in tralice. «Un'amica?»

Levai su di lei uno sguardo triste. Era sempre stata una donna di nobili princìpi, ma non moralista. Spiegai: «Linda Lansing. È un'attrice. È la sua attuale amica fissa».

Dopo un attimo di silenzio lei disse: «Capisco».

«No, penso che probabilmente tu non possa capire. Ma mi è simpatica, e sarà lei a occuparsi di lui ora... per lo meno fino a quando non tornerò.»

«Non riesco a capire perché non si sia risposato» disse ancora la nonna.

«Forse perché non si è mai fermato in un luogo abbastanza a lungo per poter fare le pubblicazioni?»

«Ma questo vuol dire essere egoisti. Così non ti ha dato alcuna possibilità di andartene, di tornare fra noi o persino di intraprendere una qualsiasi carriera.»

«Una carriera è una cosa che non ho proprio mai desiderato.»

«Ma al giorno d'oggi tutte le ragazze devono imparare a far qualcosa, rendersi autonome.»

Replicai che ero molto felice di farmi mantenere da mio padre e la nonna disse che ero testarda quanto lui. Possibile che non avessi mai desiderato avere un lavoro?

Ci pensai seriamente ma riuscii soltanto a ricordare che quando avevo otto anni avevo molto desiderato andare a lavorare in un circo e aiutare a lavare i cammelli. Ma non ero sicura che la nonna avrebbe apprezzato l'idea e così risposi: «No, non proprio».

«Oh, mia povera Jane.»

Mi raddrizzai come punta da una vespa, per prendere le difese di mio padre. «Povera? Povera affatto. Non mi è mai mancato niente.» Ma poi, più dolcemente, aggiunsi: «All'infuori di Elvie. Elvie mi è sempre mancato. E tu. E ogni cosa qui». Lei non fece alcun commento. Lasciai cadere la foglia ormai sciupata e ne raccolsi un'altra. Intenta a contemplarla dissi: «David Stewart mi ha detto dello zio Aylwyn. Non ne ho parlato con Sinclair... ma... mi è dispiaciuto tanto... voglio dire, che sia sempre stato tanto lontano e tutto il resto».

«Sì.» La sua voce era totalmente priva di espressione. «Ma lui ha scelto così... di vivere in Canada e di morire laggiù. Vedi, Elvie non ha mai significato molto per Aylwyn. Era una persona fondamentalmente inquieta. Più di qualsiasi altra cosa aveva bisogno della compagnia di tante persone diverse. Amava la varietà, in tutto ciò che faceva. Ed Elvie non è mai stato il posto più indicato per questo.»

«È strano... un uomo che si annoia in Scozia... è un paese così essenzialmente mascolino.»

«Già, ma vedi, lui non amava sparare e neppure pescare, lo annoiava. Amava le corse e i cavalli. Ed era un grande cavallerizzo.»

Con una certa sorpresa mi accorsi che questa era la prima volta che parlavamo insieme di mio zio Aylwyn. Non che avessimo mai evitato con intenzione l'argomento; ma semplicemente, fino allora, non aveva suscitato in me alcuna curiosità. Ma in quel momento mi rendevo conto di quanto fosse innaturale che io sapessi tanto poco di lui... non sapevo neppure che aspetto avesse, poiché la nonna, in questo diversa dalle altre donne della sua generazione, non era il tipo da amare le fotografie di famiglia. E quelle che possedeva erano accuratamente raccolte in album, ma non ce n'era una che stesse in una bella cornice d'argento, sul pianoforte a coda.

«Che tipo di uomo era? Che aspetto aveva?»

«Il suo aspetto? Era esattamente come Sinclair è ora. Ed era molto affascinante... quando entrava in una stanza potevi vedere tutte le donne che si rianimavano e cominciavano a sorridere cercando di rendersi attraenti. Era divertente assistere allo spettacolo.»

Ero sul punto di domandare di Silvia, ma lei mi prevenne dando un'occhiata all'orologio. Immediatamente tornò al suo senso pratico.

«Ora bisogna che torni a casa e dia subito i cavoletti alla signora Lumley. Grazie per avermi aiutata a raccoglierli. E mi è piaciuta la nostra chiacchierata.»

Sinclair, fedele alla parola data, arrivò a casa per il tè. Poi ci infilammo l'impermeabile, fischiammo per chiamare i cani e ci mettemmo in moto per andare a trovare i Gibson.

I Gibson vivevano nel piccolo cottage del fattore, nascosto in una piega della collina che si levava a nord di Elvie; dovemmo percorrere tutta l'isola, traversare la strada statale e seguire un sentiero che si snodava fra l'erba e l'erica, passando e ripassando sopra un torrentello rumoroso che si riversava poi, attraverso un canale interrato sotto la strada principale, nelle acque del lago di Elvie. Il torrente veniva da molto lontano, dall'alto delle montagne, e la valle in cui scorreva, come le colline ai lati, faceva parte della vasta proprietà della nonna.

Nei bei tempi andati c'erano state grandi partite di caccia, durante le quali i ragazzi della scuola facevano la parte dei battitori e i pony scozzesi portavano i cacciatori più anziani fino ai posti di avvistamento. Ora la brughiera era affidata a un gruppo di uomini d'affari locali, che la percorrevano volentieri a piedi in quei due o tre sabati d'agosto riservati alla caccia, ma per il resto erano altrettanto soddisfatti di portarvi le loro famiglie a fare dei picnic o di andare a pesca nelle acque del torrente.

Giunti al cottage, fummo accolti da una cacofonia di voci canine, che abbaiavano e latravano furiosamente dai canili. Disturbata da quel baccano, comparve sulla porta la signora Gibson. Sinclair fece con il braccio un gesto di saluto e chiamò: «Ehi, di casa!». La signora Gibson ricambiò il gesto e scomparve frettolosamente all'interno.

«Credi che sia andata a mettere sul fuoco l'acqua per il tè?» domandai.

«Oppure ad avvertire Gibson che si metta la dentiera.»

«Non mi pare un pensiero molto gentile.»

«No, ma è molto probabile.»

Di fianco alla casa era parcheggiata una vecchia Land Rover, con una mezza dozzina di galline bianche che becchettavano intorno alle ruote e un gran bucato steso lì accanto ad asciugare, mezzo irrigidito dal freddo della sera. Quando ci avvicinammo alla porta, la signora Gibson ricomparve sulla soglia. Si era tolta il grembiule. Portava una camicetta chiusa al collo da una spilla con un cammeo e aveva sul viso un largo sorriso.

«Oh, signorina Jane! L'avrei riconosciuta ovunque. Ho parlato con Will e lui mi ha detto che lei non è cambiata per nulla. E in quanto al signor Sinclair... non sapevo che fosse a casa.»

«Ho preso un po' di giorni di vacanza.»

«Vengano dentro, vengano. Gibson sta giusto prendendo il suo tè.»

«Non vorremmo disturbare...» Sinclair si mise in disparte per lasciarmi entrare. Chinai con cautela la testa per oltrepassare la soglia e mi trovai in cucina, dove bruciava un bel fuoco nel camino, e Gibson si levò pesantemente in piedi di dietro una tavola su cui erano disposti un bel piatto di focaccine, pane dolce, burro e marmellata, tè e latte e un vasetto di miele. Nell'aria si sentiva anche un forte odore di pesce fritto.

«Oh, Gibson, ma noi la disturbiamo davvero...»

«Oh, no, affatto, niente affatto...» Allungò la mano e io la presi. Era secca e rugosa come la corteccia di un vecchio albero. Senza l'inseparabile berretto di tweed, con il quale l'avevo sempre visto, aveva un aspetto strano, del tutto inusuale, mi pareva vulnerabile come un poliziotto senza l'elmetto. La testa quasi nuda, protetta solo da ciuffi radi di capelli bianchi. E così mi dovetti rendere conto che, di tutti i miei vecchi amici di Elvie, era lui l'unico veramente invecchiato nel corso di quegli anni. Gli occhi erano smorti, orlati di bianco, ed era molto più magro di un tempo, le spalle più curve. La voce aveva perduto molto del suo tono profondo e virile.

«Avevamo sentito che era in viaggio per tornare a casa.» Si rivolse a Sinclair che ci aveva seguito nella stanzetta piccola e ingombra di ogni sorta di cose. «È venuto anche lei, Sinclair.»

«Salve, Gibson.»

La signora Gibson, che aveva seguito Sinclair dentro casa, si affaccendava ora intorno a noi. «Sta prendendo il suo tè, Sinclair, ma voi intanto potete sedervi un momento, Gibson continuerà a mangiare. E ora lei, Jane, venga qui, sieda accanto al fuoco. Si sta bene, c'è un bel caldino...» Sedetti così vicino al fuoco che credetti di andare arrosto. «... Prenderebbe volentieri una tazza di tè?»

«Grazie, molto volentieri.»

«E qualche cosina da mangiare.» Si diresse verso la dispensa, posando, nel passare, una mano sulla spalla del marito, come per costringerlo a rimanere seduto. «Sta' seduto, caro, e finisci il tuo pesce, Jane non si offenderà...»

«Davvero, Gibson, finisca di mangiare.»

Ma Gibson disse che ne aveva abbastanza, allontanò il piatto che aveva davanti come se fosse una cosa indecente e si alzò per andare a riempire il bollitore. Sinclair prese una sedia dal lato opposto del tavolo e si mise a sedere, proprio di fronte a Gibson, oltre i dolci sul tavolo. Tolse di tasca le sigarette, ne offrì una al vecchio fattore e ne prese una per sé. Poi si sporse per accendere quella di Gibson.

«Come sta?»

«Oh, niente male... È stata un'estate molto asciutta. Ho sentito che oggi è andato a sparare, come è andata?»

Parlavano fra loro e vedendoli così, ascoltando la loro conversazione, il giovanotto e il vecchio uno di fronte all'altro, mi era difficile ricordare che un tempo Gibson era stato l'unico adulto per il quale il bambino Sinclair provasse un vero rispetto.

La signora Gibson ricomparve con due tazze pulite – le migliori che possedeva, suppongo – e le dispose sulla tavola, versando il tè e offrendoci focaccine, biscottini con la glassa e pan pepato, che noi rifiutammo con tatto. Poi sedette anche lei dall'altro lato del fuoco; chiacchierammo piacevolmente e una volta di più mi sentii domandare notizie di mio padre. Le raccontai di lui e poi le chiesi a mia volta dei suoi figlioli e venni a sapere che Hamish era entrato nell'esercito, George, invece, era riuscito ad arrivare all'università di Aberdeen, dove si era iscritto alla facoltà di Legge.

Rimasi colpita. «Ma è una cosa magnifica. Non sapevo che fosse tanto bravo negli studi!»

«È sempre stato un gran sgobbone... e con un grande amore per i libri.»

«Così né Hamish né George continueranno il lavoro del padre.»

«Ah, che vuole, non è la stessa cosa per i giovani. Non vogliono più passare la vita su e giù per le colline col bello o il cattivo tempo... la campagna è troppo tranquilla per loro. E, badi bene, non si può davvero rimproverarli per questo. Non è più la vita adatta per un giovane di questi tempi, e mentre noi allora riuscivamo ad allevarli senza troppa fatica, oggi il lavoro qui non rende più abbastanza. Non quando si può guadagnare tre volte tanto con un impiego in città, in una fabbrica o in un ufficio.»

«A Gibson dispiace?»

«No.» Lo guardò con occhi affettuosi, ma lui era troppo infervorato nella conversazione con Sinclair per accorgersi del suo sguardo. «No, lui ha sempre voluto che facessero ciò che più desideravano, ciò che era meglio per loro. Ha incoraggiato molto Geordie in tutti i modi... e, mi creda,» aggiunse la signora Gibson citando senza saperlo Barrie «non c'è nulla di meglio che una buona istruzione.»

«Non ha delle fotografie dei ragazzi? Mi piacerebbe tanto vedere che aspetto hanno ora.»

Lei fu felice della mia richiesta. «Le ho accanto al mio letto. Ora vado a prenderle...»

Se ne andò frettolosa e io udii i suoi passi pesanti su per la scaletta di legno e poi attraversare la stanza al piano di sopra. Dietro di me Gibson stava dicendo: «Vede, i vecchi posti di avvistamento sono ancora ottimi. Al tempo erano stati costruiti per durare... ora sono solo un po' troppo coperti dalla vegetazione».

«E la selvaggina?»

«Oh, di quella ce n'è quanta se ne vuole. Pensi, in primavera ho preso persino un paio di volpi con i loro cuccioli.»

«E le mucche?»

«Le ho tenute ben lontane. E l'erica quest'anno è alta, è stata bruciata bene all'inizio della stagione...»

«Non trova che tutto questo sia un po' troppo per lei?»

«Oh, no, sono ancora abbastanza in gamba.»

«La nonna mi ha detto che è stato a letto un paio di settimane, l'inverno passato.»

«È stato soltanto un attacco di influenza. Il dottore mi ha dato una medicina e mi sono rimesso in un momento... non deve star a sentire quel che dicono le donne...»

La signora Gibson, rientrando nella stanza, fece in tempo a udire quelle parole.

«Che cosa c'è da dire delle donne?»

«Che siete soltanto un gran branco di galline» le rispose il marito. «Pronte a fare un gran chiasso per un po' di influenza...»

«Ah, non è stata poi così leggera... e che fatica ho dovuto fare per tenerlo a letto» aggiunse rivolta a Sinclair. Poi mi porse le fotografie perché potessi studiarle con calma e tornò sull'argomento. «E non sono neppure sicura che fosse soltanto influenza... volevo che andasse a fare i raggi, ma lui non ha voluto neppure sentirne parlare.»

«Ma invece dovrebbe, Gibson.»

«Ah, io non ho tempo di andare fino a Inverness per tutte queste storie...» Poi, come se fosse annoiato di sentir parlare della sua salute, e volesse cambiare argomento, spostò la sua sedia per poter guardare di sopra la mia spalla le fotografie dei suoi figli: Hamish, un robusto caporale nel reggimento dei Camerons, e George, bene in posa nello studio di un fotografo. «Geordie è all'università, glielo ha detto mia moglie? È al terzo anno, ora, e ne uscirà avvocato. Si ricorda di quando eravate ragazzi e lui l'aiutava a costruire la casetta sull'albero?»

«La casetta c'è ancora. Il maltempo non l'ha fatta cadere.»

«Tutto quello che Geordie faceva era sempre ben fatto. È un ragazzo molto in gamba.»

Restammo ancora un po' a chiacchierare e poi Sinclair spinse indietro la sua sedia e disse che era ora di andare. I Gibson ci accompagnarono alla porta. I cani, sentendo di nuovo le voci, ricominciarono ad abbaiare e allora tutti ci dirigemmo verso il canile per salutarli. Ce n'erano due, entrambe femmine, una nera e l'altra color champagne. Questa aveva un bel mantello morbido, setoso e un'espressione tenera, con grandi occhi scuri a mandorla.

Dissi: «Ha degli occhi che ricordano Sophia Loren».

«Oh, davvero» esclamò Gibson. «È bella. Ora è in

calore e domani la porto a Braemar. Là c'è un tale che ha un bel cane. Ho pensato che potremmo avere una bella cucciolata.»

Sinclair aggrottò le sopracciglia. «Ci va domani? A che ora?»

«Partirò verso le nove.»

«Come sono le previsioni del tempo? Che giornata avremo?»

«Questa notte dovrebbe esserci un po' di vento che scaccerà tutte le nuvole. Abbiamo delle buone previsioni per il fine settimana.»

Sinclair si volse verso di me con un sorriso. «Che cosa ne dici?»

Io stavo giocando con i cani e non avevo ascoltato. «Che cosa?»

«Gibson va a Braemar domani mattina. Potremmo farci dare un passaggio e tornare a casa a piedi, passando per il Lairig Ghru...» Si rivolse di nuovo a Gibson. «Potrebbe poi venirci a prendere in serata a Rothiemurchus?»

«Certo che potrei. Ma verso che ora?»

Sinclair rifletté un momento. «Verso le sei? Dovremmo esserci per quell'ora.» Mi guardò di nuovo. «Che ne dici, Jane?»

Non ero mai andata a piedi fino a Lairig Ghru. Ai vecchi tempi d'estate c'era sempre qualcuno che faceva quella gita da Elvie e io avevo sempre desiderato andarci, ma non ero mai stata ammessa in compagnia, perché, dicevano, non avevo le gambe abbastanza lunghe. Ma ora...

Levai gli occhi e scrutai il cielo. Le nuvole del mattino non si erano mai alzate e ora, mentre il giorno si stava spegnendo, si erano tramutate in una nebbiolina sottile. «Sarà davvero una bella giornata?»

«Oh, sì, e bella calda.»

L'opinione di Gibson mi bastava. «Mi piacerebbe molto farlo. Più di qualsiasi altra cosa.»

«Bene, allora è deciso. Alle nove davanti a casa, d'accordo?»

«Ci sarò» promise Gibson e noi ringraziammo per il tè e ce ne andammo, scendendo giù per la collina, attraverso la strada statale verso casa. L'aria nebbiosa pesava come una coltre e sotto i faggi color rame era già molto buio. D'improvviso mi sentii depressa. Avevo sperato che nulla fosse cambiato... Avevo tanto desiderato che Elvie fosse rimasto esattamente come lo ricordavo, perciò aver visto Gibson così invecchiato mi aveva procurato un brutto colpo. Era stato malato, aveva detto? Un giorno sarebbe morto. E il pensiero della morte, in quell'ora fredda del crepuscolo, mi fece rabbrividire.

Sinclair domandò: «Freddo?».

«Sto bene. È stata una giornata molto lunga.»

«Sei sicura di voler venire domani? È una camminata impegnativa.»

«Sì, naturalmente.» Sbadigliai. «Dovremmo dire alla signora Lumley di prepararci un picnic.»

Uscimmo di sotto i faggi e l'aspetto nordico e severo della casa si levò davanti a noi, disegnato contro il cielo basso di nuvole. C'era una sola luce accesa, che mandava un bagliore giallastro attraverso la nebbiolina azzurra. Decisi che prima di cena avrei fatto un bel bagno caldo e che così non mi sarei più sentita tanto depressa.

6

Avevo ragione. Avvolta nel calore setoso dell'acqua scozzese sentii sopraggiungere il sonno. Era ancora presto. Trovai nell'armadietto del bagno una boule per l'acqua calda, la riempii e mi coricai un'oretta, stesa sul letto nel buio con le tende aperte, ascoltando i richiami e lo starnazzare ininterrotto delle anitre selvatiche.

Poi mi rivestii e, spinta da una vaga idea di fare della mia prima serata a casa qualcosa di speciale, mi diedi da fare ad appuntarmi i capelli in cima alla testa in un'elaborata pettinatura e mi truccai gli occhi con particolare cura. Infine presi dall'armadio il mio unico abito elegante, un caftano nero di seta pesante, tutto ricamato in oro, che mio padre aveva scovato in un negozietto nascosto del quartiere cinese di San Francisco e al quale non aveva saputo resistere.

Mi dava un aspetto molto regale. Mi misi gli orecchini, mi diedi una spruzzata di profumo e scesi le scale. Era presto, ma era mia intenzione arrivare per prima. Mentre stavo sul letto avevo fatto un piccolo progetto e avevo bisogno di avere il salotto tutto per me.

Il salotto della nonna, già pronto per la serata, era di una raffinata eleganza che lo faceva somigliare un poco a un palcoscenico di teatro. I pesanti tendaggi di velluto erano già stati chiusi sul buio della notte, i cuscini ben sprimacciati, le riviste riordinate sui tavolini e il fuoco acceso nel caminetto. Due lampade da tavolo illuminavano la stanza di una luce dolce e le fiamme del camino mandavano un caldo riflesso sul parafuoco d'ottone, sul recipiente del carbone di lato, e sulle superfici lucidissime dei mobili. Dappertutto c'erano fiori e scatole piene di sigarette e sul tavolinetto, che serviva come bar, erano allineate in bell'ordine bottiglie e bicchieri, un secchiello per il ghiaccio e una coppa piena di noccioline.

Sul lato opposto della stanza, a fianco del caminetto, c'era un mobile antico finemente decorato; nella parte superiore antine di vetro chiudevano scaffali colmi di libri. Sotto c'erano tre grandi cassetti bombé, molto pesanti. Mi avvicinai e, scostando il tavolino, mi inginocchiai per aprire l'ultimo cassetto. Una delle maniglie era rotta e il cassetto era così pesante che dovetti impiegare tutte le mie forze. Stavo lottando per aprirlo quando udii la porta aprirsi e qualcuno entrare. Imprecai con me stessa, come se mi sentissi colta in fallo, ma non ebbi neppure il tempo di rialzarmi in piedi quando una voce alle mie spalle disse: «Buonasera».

Era David Stewart. Volsi la testa e me lo trovai vicinissimo, chino su di me, inaspettatamente romantico in un elegante *dinner jacket* blu scuro.

Ero troppo sorpresa per essere ben educata. «Mi ero completamente dimenticata che lei sarebbe venuto a cena.»

«Temo di essere arrivato un po' troppo presto.

Non ho incontrato nessuno all'ingresso e così sono entrato qui. Che cosa sta facendo? Le è caduto un orecchino o sta giocando a fare il detective?»

«Né l'una né l'altra cosa. Sto semplicemente tentando di aprire questo cassetto.»

«Perché?»

«Un tempo era pieno di album di fotografie. A giudicare dal peso, si direbbe che ci siano ancora.»

«Mi lasci provare.»

Ubbidiente, mi tirai in disparte e lo guardai piegarsi sulle lunghe gambe, prendere le due maniglie e aprire dolcemente il cassetto.

«Sembra una cosa così facile, quando la fa qualcun altro» dissi.

«Sono queste le fotografie che stava cercando?»

«Esatto.» C'erano tre grossi album, vecchissimi e rigonfi, che parevano pesare una tonnellata ciascuno.

«Aveva intenzione di abbandonarsi alla nostalgia? Con tutte queste foto ne avrebbe per il resto della serata.»

«No, naturalmente. Ma volevo trovare una fotografia del padre di Sinclair... penso che ci dovrebbe essere una fotografia di gruppo, scattata in occasione del matrimonio.»

Ci fu un breve silenzio. Poi: «Perché questo improvviso desiderio di trovare una fotografia di Aylwyn Bailey?».

«Be', potrà sembrare ridicolo, ma non ne ho mai vista una. Voglio dire, la nonna non ha mai avuto l'abitudine di tenere in vista fotografie. Non credo ce ne siano neppure nella sua camera... Non me lo ricordo. È molto strano, vero?»

«Non necessariamente. Non quando la si conosce.»

Decisi di confidarmi con lui. «Abbiamo parlato

dello zio Aylwyn questa mattina. Mia nonna ha detto che aveva lo stesso aspetto che ha ora Sinclair e che era un uomo molto affascinante. Ha detto che bastava che entrasse in una stanza perché tutte le donne cadessero ai suoi piedi. Quando ero piccola non gli avevo mai prestato attenzione... era semplicemente il papà-di-Sinclair-che-stava-in-Canada. Ma... non so come... d'improvviso mi ha colto la curiosità.»

Sollevai il primo album e lo aprii, ma poiché portava la data di soli dieci anni prima, lo misi in disparte. Cercai sul fondo del cassetto e presi l'ultimo. Era un album molto bello, rilegato in pelle, e tutte le fotografie – ora un po' scolorite e tendenti al color seppia – vi erano state inserite con precisione geometrica e portavano una scritta in inchiostro bianco.

Sfogliai le pagine. Partite di caccia e picnic, gruppi di famiglia e ritratti ufficiali, fatti nello studio di un fotografo, completi di fondale dipinto e di palme in vaso. Una giovane donna in abito di gala e una bambina (mia madre) con le calze nere e un abito da zingarella.

E poi un gruppo a un matrimonio. «Eccolo qui.» La nonna, imponente, con un abito lungo e in testa qualcosa che somigliava a un turbante di velluto. Mia madre, con un sorriso gaio, come se fosse ben decisa a divertirsi. Mio padre, giovane e snello, appena rasato e con la sua espressione sofferente. Probabilmente aveva un colletto troppo stretto. Veniva poi una bambinetta che non conoscevo come damigella e infine la sposa e lo sposo. Silvia e Aylwyn, le giovani facce tonde e curiosamente ingenue, immuni da ogni traccia di esperienza. Silvia con una boccuccia troppo dipinta e Aylwyn che sorrideva segretamente all'obiettivo, gli occhi leggermente all'insù con una strana espressione, come se l'intera faccenda fosse soltanto un incantevole scherzo.

«Be'?» fece David dopo un po'.

«La nonna aveva ragione... è proprio uguale a Sinclair... ha soltanto i capelli più corti e tagliati diversamente e forse è un po' meno alto. E Silvia» – Silvia non mi piaceva – «Silvia lo abbandonò dopo un solo anno di matrimonio. Lo sapeva?»

«Sì, lo sapevo.»

«Per questo Sinclair è sempre rimasto a Elvie. Che cosa sta facendo?»

David stava frugando sul fondo del cassetto. «Ce ne sono delle altre» disse e portò alla luce una pila di fotografie dalle pesanti montature, disposte sotto tutto il resto, dove si pensava che nessuno le avrebbe potute vedere.

«Che cosa sono?» Posai l'album che avevo in mano.

Lui le rivoltò. «Un altro matrimonio. A occhio e croce direi quello di sua nonna.»

Aylwyn fu immediatamente dimenticato. «Oh, mi faccia vedere.»

Ora eravamo tornati agli anni della prima guerra mondiale, gonne lunghe fino ai piedi ed enormi cappelli. Il gruppo era in posa, tutti seduti in poltrona come la famiglia reale: colletti alti, marsine e facce terribilmente solenni. La nonna, giovane sposa, aveva un seno prorompente ed era tutta avvolta nei pizzi; il novello sposo, non certo più vecchio di lei, aveva un'espressione gaia e divertita che neppure il severo abito da cerimonia e i baffoni maestosi riuscivano a nascondere.

«Guardi» esclamai «ha un'aria molto allegra.»

«Probabilmente era un tipo allegro.»

«E chi è questo? Il vecchio con il kilt e i favoriti?»

David gli diede un'occhiata di sopra la mia spalla. «Probabilmente il padre dello sposo. Non è splendido?»

«Chi era?»

«Un gran personaggio, credo. Si faceva chiamare Bailey of Cairneyhall, apparteneva a un'antica famiglia della regione e si dice che usasse darsi molte arie e amasse i piaceri della vita di campagna, anche se non aveva un soldo di cui potersi vantare.»

«E il padre della nonna?»

«Quel gentiluomo dall'aria così imponente, immagino. Be', lui era un tipo del tutto differente. Faceva l'agente di cambio a Edimburgo. Fece un sacco di soldi e morì molto ricco. E sua nonna» aggiunse in tono professionale «era la sua unica figlia.»

«Vuol dire... un'ereditiera.»

«Può chiamarla così.»

Guardai nuovamente la fotografia, quelle facce solenni, estranee, erano dei miei antenati, le persone che mi avevano fatto così com'ero, con tutti i miei difetti e le mie piccole qualità, che mi avevano dato la mia faccia e le mie lentiggini e i miei nordici capelli biondi.

«Non ho mai sentito parlare di Cairneyhall.»

«Non avrebbe potuto. Col tempo la casa cadde in rovina. Era così malridotta che alla fine dovette essere demolita.»

«Allora la nonna non visse mai laggiù?»

«Ci restò forse per un anno o due, vivendo probabilmente nelle peggiori condizioni immaginabili. Ma quando suo marito morì, lei si trasferì da queste parti, comperò Elvie e qui crebbe i suoi figli.»

«Ah, allora...» Mi interruppi. Mi resi conto in quel momento che, senza averci peraltro mai pensato

Crescere - raised

molto, avevo sempre ritenuto una cosa del tutto naturale che la nonna avesse ereditato dal marito gran parte di quanto possedeva. Ma a quanto pare, le cose non stavano proprio così. Elvie e tutto ciò che conteneva veniva solo dalla sua eredità, apparteneva a lei soltanto. E non aveva alcun rapporto con il suo matrimonio con il padre di Aylwyn.

David mi stava guardando. «Allora cosa?» domandò con dolcezza.

«Niente.» Ero imbarazzata. Tutte le questioni di denaro hanno il potere di mettermi a disagio, un tratto che ho ereditato da mio padre. Cambiai rapidamente discorso. «A proposito, come fa a sapere tante cose di tutte queste persone?»

«Perché mi occupo degli affari di famiglia.»

«Capisco.»

Lui chiuse l'album delle fotografie. «Forse faremo meglio a metterli via...»

«Sì, naturalmente. E, David... non voglio che la nonna sappia che ho fatto tutte quelle domande.»

«Non dirò una parola.»

Rimettemmo gli album e le fotografie là dove le avevamo trovate e richiudemmo il cassetto. Rimisi il tavolino al suo posto e mi spostai davanti al caminetto, presi una sigaretta e l'accesi con un rametto prelevato dal fuoco. Quando mi rialzai vidi che David mi stava guardando. Del tutto inaspettatamente lui disse: «Lei è molto bella, Jane. Evidentemente la Scozia le dona».

Risposi: «Grazie», che era ciò che le ragazze americane ben educate dicono quando ricevono un complimento. (Le ragazze inglesi, invece, rispondono sempre con espressioni del tipo: «Oh, non lo dica, ho un aspetto disastroso», oppure: «Come può dire che le piace questo vestito? È orrendo», il che, mi è stato detto, risulta molto scoraggiante.)

E poi, perché d'un tratto mi sentivo intimidita e avevo bisogno di un diversivo, dissi che gli avrei preparato un drink e lui mi rispose che in Scozia non si preparano i drink, si versano.

«Ma non un martini» insistetti. «Non può versare un martini senza averlo prima preparato. È ovvio.»

«Ha vinto lei. Lo vuole un martini?»

Lo guardai dubbiosa. «Lei è davvero capace di prepararlo?»

«Mi piace crederlo.»

«Mio padre dice che ci sono solo due uomini in Inghilterra capaci di fare un vero martini e lui è uno dei due.»

«Allora io devo essere l'altro.» Si accostò al tavolino e si mise a trafficare fra bottiglie, ghiaccio e bucce di limone. Disse: «Che cosa ha fatto di bello oggi?».

Gli raccontai tutto, compreso il bagno caldo e l'ora di riposo che mi ero concessa, e poi dissi: «E domani, non immagina che cosa abbiamo in programma».

«No, non posso indovinare. Me lo dica.»

«Sinclair e io facciamo una camminata fino a Lairig Ghru.»

Ne fu impressionato e questo era gratificante. «Pensa davvero di farlo?»

«Sicuro. Ci andiamo davvero. Gibson ci porta con la macchina fino a Braemar e poi viene a prenderci la sera a Rothiemurchus.»

«Che tempo farà domani?»

«Gibson dice che sarà bello. Ha detto che il vento porterà via le nuvole e che sarà molto caldo.» Lo guardai. Mi piacevano le sue mani brune, le spalle larghe sotto il morbido velluto blu e d'impulso dissi: «Dovrebbe venire anche lei...».

Lui attraversò la stanza reggendo i due bicchieri gelati, il liquido oro pallido. «Mi piacerebbe più di ogni altra cosa, ma domani sarò occupatissimo tutta la giornata.»

Presi il bicchiere e replicai: «Forse un'altra volta».

«Già. Forse.»

Ci sorridemmo levando i calici e bevemmo. Il martini era delizioso. «Scriverò a mio padre e gli dirò che ho incontrato la seconda persona che sa preparare un martini» e poi all'improvviso ricordai qualcosa. «David, devo andare a comprarmi dei vestiti...»

Prese con disinvoltura il subitaneo mutamento di discorso. «Che genere di vestiti?»

«Abiti scozzesi, pullover e cose del genere. Ho il denaro che papà mi diede prima di partire, ma è tutto in dollari. Crede che potrebbe cambiarli per me?»

«Sì, naturalmente, ma dove pensa di fare i suoi acquisti? Caple Bridge non è precisamente il centro della moda.»

«Non voglio niente che sia di moda, soltanto qualcosa di caldo.»

«In tal caso, penso che possa trovare ciò che le serve. Quando pensa di fare il suo shopping?»

«Sabato?»

«È in grado di guidare l'automobile di sua nonna?»

«Certo che la saprei guidare, ma non posso farlo. Devo prima avere una patente inglese... ma non importa, prenderò l'autobus...»

«Benissimo, allora. Venga in ufficio – le dirò come trovare la strada – e le consegnerò il denaro e poi, quando si sarà ben equipaggiata di golf di lana, e se non ha altro di meglio da fare, potrei portarla a pranzo.»

«Davvero?» Non me lo ero aspettato e ne fui felice. «Dove?»

Si grattò pensosamente la nuca. «Per la verità non c'è molta scelta. O il Crimond Arms o casa mia, e la mia governante non viene di sabato.»

«Ma io so cucinare» replicai. «Lei compra qualcosa e io lo cucino. Del resto mi farebbe piacere vedere dove abita.»

«Non è particolarmente interessante.»

Ma io trovavo la cosa abbastanza eccitante lo stesso. Ho sempre pensato che non si possa dire di conoscere un uomo finché non si è vista la sua casa, i suoi libri, i suoi quadri, il modo in cui ha disposto i mobili. Per tutto il tempo in California, e poi durante il nostro lungo viaggio, David era stato gentile e pieno di premure, ma aveva mostrato solo l'aspetto corretto dell'uomo d'affari, soltanto una parte del suo carattere. Ora mi aveva aiutata a trovare le fotografie che desideravo vedere, aveva risposto con grande pazienza alle mie domande e mi aveva invitata a pranzo. Mi resi conto che era un uomo molto più interessante di quanto avessi in un primo tempo supposto e trovavo straordinariamente gratificante che forse lui pensasse la stessa cosa di me.

Alla fine della cena fui di nuovo assalita dalla stanchezza, forse a causa del fuso orario, o per qualche altra ragione, e adducendo come scusa la giornata faticosa che mi aspettava l'indomani, diedi la buonanotte e andai a letto, dove caddi immediatamente in un sonno profondo.

Mi svegliai qualche ora più tardi al rumore del

vento che Gibson ci aveva promesso e che ora passava sulla casa, fischiando sotto la mia porta, sollevando le acque del lago in piccole onde che andavano a infrangersi contro i ciottoli della spiaggia. E, al di sopra del rumore del vento, udii delle voci.

Guardai l'orologio, mi accorsi che non era ancora mezzanotte e rimasi in ascolto. Le voci si facevano più forti e più chiare e mi accorsi che erano quelle della nonna e di Sinclair. Dovevano trovarsi fuori, sul prato, proprio sotto la mia finestra. Certo erano usciti per accompagnare i cani nella loro passeggiatina notturna, prima di chiudere la casa per la notte.

«... però è invecchiato molto.» Questo era Sinclair.

«Sì, ma che cosa ci si può fare?»

«Mandarlo in pensione. Prenderne un altro al suo posto.»

«Ma dove potrebbero andare? Se almeno uno dei figli fosse sposato e avesse da offrire loro una casa... Inoltre, è stato con noi per quasi cinquant'anni... da quando io sono qui. Non potrei mai liberarmi di lui semplicemente perché sta diventando vecchio. E poi morirebbe nello spazio di due mesi se non avesse più un lavoro da fare.»

Con molto disagio mi resi conto che stavano parlando di Gibson.

«Ma non è più in grado di far fronte alle sue mansioni.»

«Quali sono le ragioni che ti inducono a dire questo?»

«Ma è evidente. Ha fatto il suo tempo.»

«Per quel che mi riguarda, trovo che sia ancora perfettamente in grado di compiere il suo lavoro.

Non è che ci si aspetti che diriga una caccia importante. Per questo c'è l'associazione dei cacciatori...»

Sinclair la interruppe. «C'è un'altra cosa. È assolutamente controproducente lasciare una brughiera, così vasta e importante nelle mani di un paio di affaristi di Caple Bridge. Quello che loro pagano non basta neppure a coprire la spesa di Gibson, il suo stipendio.»

«Non dimenticare, Sinclair, che quel paio di uomini d'affari di Caple Bridge di cui parli sono anche miei amici.»

«Non è questo il punto. Per quel che io posso vedere, si direbbe che stiamo finanziando una specie di istituzione di beneficenza.»

Ci fu una pausa, poi la nonna in tono freddo lo corresse. «Si direbbe che io finanzi una specie di istituzione di beneficenza.»

C'era un tale gelo nella sua voce, che mi avrebbe messo a tacere per sempre, ma Sinclair non parve esserne per nulla toccato. Mi domandai quanto del suo coraggio era dovuto ai molti cognac che aveva bevuto dopo cena.

«In tal caso» disse «ti consiglierei di smetterla. Ora. Mandare Gibson in pensione e vendere la brughiera, o per lo meno affittarla a persone che siano in grado di pagare una pigione ragionevole...»

«Ti ho già detto che...»

Le voci si spensero. Si erano allontanati, ancora profondamente immersi nella discussione; svoltarono l'angolo della casa e non udii più neppure una parola. Mi accorsi di essermi irrigidita lì, nel letto, piena di vergogna per essere stata costretta ad ascoltare ciò che non era ovviamente destinato alle mie orecchie. Il pensiero di averli sentiti litigare mi faceva star male, ma ancora peggiore per me era la ragione del loro litigio.

Gibson. Pensavo a lui come lo avevo sempre conosciuto, forte e instancabile, una miniera di cognizioni e di antica saggezza contadina. Rammentavo la sua infinita pazienza quando insegnava a Sinclair a sparare o a pescare, sempre pronto a rispondere a tutte le domande, ad accettare che gli stessimo alle calcagna ogni cosa facesse, come un paio di cuccioli. E pensavo a sua moglie, che ci aveva sempre viziato e coccolato, che ci comprava i dolcetti e ci nutriva con le focaccine che uscivano calde dal suo forno, gocciolanti del giallo burro contadino che lei stessa sbatteva nella zagola.

Era impossibile riconciliare il passato con il presente, il Gibson che ricordavo con il vecchio che avevo visto oggi. E ancor più difficile era accettare che fosse mio cugino Sinclair a suggerire con tanta freddezza di liberarsi di Gibson, come di un vecchio cane rognoso che era venuto il momento di sopprimere.

7

Mi svegliai nuovamente, strappata al sonno da un allarme inconscio. Sapevo che era giorno e aprii gli occhi. Un uomo stava ai piedi del mio letto guardandomi con occhi freddi. Emisi un gemito di spavento e mi sollevai a sedere con il cuore che batteva all'impazzata. Ma era soltanto Sinclair, venuto a svegliarmi.

«Sono le otto» disse. «Dobbiamo partire alle nove.»

Rimasi lì seduta a strofinarmi gli occhi per scacciare il sonno, per avere il tempo di togliermi di dosso lo spavento. «Mi hai spaventata da morire.»

«Mi dispiace, non intendevo farlo... Volevo soltanto svegliarti...»

Tornai a guardarlo e questa volta non vidi alcuna minaccia di fronte a me, semplicemente la figura tanto familiare di mio cugino, che se ne stava a braccia conserte ai piedi del mio letto, gli occhi a mandorla scintillanti di divertimento. Portava un vecchio kilt scolorito e un grosso pullover a coste larghe, con un foulard annodato intorno al collo. Aveva un'aria fresca e pulita, appena tirato a lucido, ed emanava un ottimo aroma del buon dopobarba che si era appena passato sul viso.

Mi sollevai e mi misi in ginocchio per guardare

fuori dalla finestra e scrutare il nuovo giorno. Era perfetto, un cielo limpido e luminoso, senza una nuvoletta. Faceva piuttosto freddo. Piena di meraviglia esclamai: «Gibson aveva ragione, dunque».

«Certo che aveva ragione. Lui ha sempre ragione. Hai sentito il vento questa notte? E c'è stata anche una gelata, presto gli alberi cambieranno colore.»

Il lago, azzurro per il riflesso del cielo, era macchiato qua e là di minuscole creste di schiuma bianca e le montagne dal lato opposto non erano più avvolte nei veli della nebbia, ma limpide e scintillanti, spazzate dal vento che muoveva grandi distese di erica purpurea. Nell'aria cristallina del mattino si potevano individuare chiaramente tutte le rocce e ogni piega che portava fino alle cime.

Impossibile non lasciarsi inebriare da una giornata simile. Tutti i dubbi, le incertezze della notte si erano dileguati con l'oscurità. Avevo udito parole non dette per le mie orecchie. Ma nella luminosità di quel mattino appariva perfettamente possibile essersi sbagliati, aver capito male. Dopotutto non avevo udito che l'inizio del loro discorso e non avevo ascoltato la conclusione... sarebbe stato del tutto ingiusto dare un qualsiasi giudizio conoscendo solo una parte dei fatti.

Il sollievo per essermi potuta liberare tanto in fretta dalle mie segrete preoccupazioni mi diede una sensazione di straordinaria felicità. Saltai dal letto e, in camicia da notte, andai a cercare i miei vestiti. Sinclair, avendo portato a termine con successo la sua missione, scese a fare colazione.

Mangiammo in cucina, al bel calduccio della stufa a legna. La signora Lumley aveva fritto delle salsicce e io ne mangiai quattro e bevvi due enormi tazze di caffè. Poi andai a cercare un vecchio sacco da montagna e lo riempimmo di cibo per il pranzo: sandwich, cioccolato, mele e formaggio.

«Volete portarvi un thermos?» domandò la signora Lumley.

«No» rispose Sinclair, continuando a imbottirsi di toast e di marmellata. «Ci metta un paio di bicchieri di plastica, berremo l'acqua fresca del torrente.»

In quel momento si udì il suono di un clacson e un attimo dopo Gibson compariva sulla soglia della cucina. Indossava il suo vecchio completo di tweed di un verde smorto, i pantaloni alla zuava parevano enormi intorno alle caviglie ossute. In testa aveva il solito berretto di tweed.

«Siete pronti?» domandò. Era chiaro che non si aspettava affatto che lo fossimo.

Ma noi eravamo pronti. Raccogliemmo le nostre giacche a vento e il sacco da montagna con le provviste, salutammo la signora Lumley e uscimmo nella splendida giornata. L'aria gelida mi pizzicava il naso, scendeva a colmarmi i polmoni e mi dava una straordinaria ebbrezza. Mi sentivo in grado di fare qualsiasi cosa.

«Non siamo fortunati?» cominciai festosamente. «È una giornata fantastica.»

E Gibson rispose. «Bel tempo.» Il che, essendo lui un perfetto scozzese, era il commento più entusiasta che ci si potesse aspettare.

Caricammo tutto sulla Land Rover. C'era posto per tre sul sedile davanti, ma la cagna di Gibson pareva nervosa e bisognosa di compagnia, così andai a mettermi sul sedile posteriore insieme a lei. Al principio la bestia guaì, inquieta e preoccupata, ma dopo un po' si abituò ai sobbalzi della macchina e si

111

mise a dormire, la bella testa morbida e vellutata sui miei piedi.

Gibson prese la strada per Braemar passando per Tomintoul, puntando verso sud oltre le montagne, e verso le undici ci trovammo nella valle del Dee, dorata e piena di sole. Il torrente era in piena, le acque limpide e profonde come vetro scuro, e il suo corso si snodava fra campi e fattorie e grandi ciuffi di alti pini scozzesi. Arrivammo a Braemar, superammo il paese e, dopo altre tre miglia, giungemmo al ponte e passammo dall'altra parte, prendendo la strada per Mar Lodge.

Qui Gibson fermò l'automobile e tutti scendemmo; il cane poté fare una bella corsa e Gibson andò a prendere la chiave del cancello che chiudeva la zona forestale. Poi entrammo tutti nel bar, Sinclair e Gibson si bevvero una birra e a me diedero un bicchiere di sidro.

«Quanto manca ancora?» Volevo sapere.

«Altre quattro miglia, pressappoco» mi rispose Gibson. «Ma la strada è molto brutta, farà meglio a sedere davanti insieme a noi.»

Così lasciai il cane e andai a prendere posto sul sedile anteriore, fra i due uomini. La strada non si poteva davvero più chiamare strada, ma era piuttosto una pista segnata dai bulldozer, con solchi profondi, usata solo dagli uomini della Commissione forestale. Di tanto in tanto incontravamo un gruppo di guardie forestali che lavoravano con enormi seghe a trasmissione e grossi trattori. Facevamo grandi cenni di saluto e gli uomini ricambiavano levando le braccia e qualche volta dovettero anche spostare i loro camion per farci passare. L'aria era satura del profumo della legna tagliata di fresco e quando alla fine arrivammo al piccolo capanno, usato dagli alpinisti e dai gitanti del fine settimana, scendemmo dalla Land Rover e ci trovammo avvolti da un immenso silenzio. Le foreste, la brughiera e le montagne erano intorno a noi, tutt'intorno, e soltanto uno sgocciolio d'acqua in lontananza rompeva il silenzio, insieme al fruscio degli alti pini.

«Vi verrò incontro a Loch Morlich» disse Gibson. «Credete di farcela per le sei?»

«Se non ci siamo, ci aspetti. E se non siamo di ritorno quando si fa buio, faccia una telefonata alla pattuglia del Soccorso Alpino.» Sinclair aveva sul viso un ampio sorriso. «Ci terremo sempre sul sentiero, così sarà facilissimo ritrovarci.»

«Stia attenta a non slogarsi una caviglia» mi ammonì Gibson. «E godetevi una buona giornata.»

Gli assicurammo che avremmo fatto del nostro meglio e poi lo seguimmo con lo sguardo mentre tornava verso l'automobile e ripartiva per la stessa strada per la quale eravamo venuti. Il brontolio del motore si spense nell'immensità del mattino. Levai lo sguardo verso l'alto e pensai, non per la prima volta, che la Scozia sembra possedere una porzione di cielo più vasta di ogni altro paese... uno spazio immenso che sembra raggiungere l'infinito. Una coppia di chiurli volavano sopra di noi e lontano udivo il dolce belato delle pecore. Sinclair abbassò lo sguardo su di me con un sorriso e disse: «Vogliamo andare?».

Ci mettemmo in cammino e Sinclair mi precedeva di buon passo. Io lo seguii su per un sentiero che si snodava a lato di un torrente profondamente incassato nel terreno. Raggiungemmo una fattoria solitaria, con un grande recinto di legno, dove i contadini tenevano le pecore, e un cane ci venne incontro abbaiando. Passammo oltre e il cane si ritirò nella sua cuccia e su di noi scese di nuovo il silenzio. Di tanto in tanto trovavamo sulla nostra strada piccole macchie di colore, campanule che si muovevano al vento, enormi cardi porporini e la macchia scura dell'erica ronzante di api. Il sole si levava alto nel cielo e ci togliemmo i pullover per legarli intorno alla vita. Il sentiero ora puntava dritto su per la collina e ci arrampicammo fra gli alberi; Sinclair, sempre davanti a me, cominciò a fischiettare. Rammentavo quella melodia. Era una canzoncina che cantavamo da bambini, dopo il tè, con la nonna che ci accompagnava con il pianoforte.

> Tutti allegri ce ne andiamo,
> sottobraccio, in compagnia,
> su pei monti, giù al piano,
> per le nozze di Maria.

Arrivammo a un ponticello e a una cascata; l'acqua della cascata non era scura, ma di un bel verde, il colore della giada cinese, e ricadeva spumeggiante per oltre una decina di metri in un gran calderone di rocce chiare. Restammo sul ponte a osservare quell'arco d'acqua rilucente come un gioiello, trasparente, trafitta dai raggi del sole, che cadeva nella pozza ribollente, orlata di un minuscolo, luminoso arcobaleno. Non avevo mai visto nulla di più incantevole. Al di sopra del frastuono dell'acqua dissi: «Perché ha quello stupendo colore? Perché non è scura come altrove?». E Sinclair mi spiegò che l'acqua era così limpida perché veniva direttamente dalle cime rocciose, e non era ancora macchiata con il colore della torba. Restammo lì incantati ancora per un po', fino a quando lui disse che non avevamo tempo da perdere, che avremmo dovuto rimetterci in cammino.

Riprendemmo a cantare, a mo' di incoraggiamento, rivaleggiando l'uno con l'altro nel ricordare i motivi. Cantammo *La strada per le isole* e *Westering Home* e ancora *Vieni con me,* che è la canzone più bella per accompagnare le camminate, e intanto il nostro sentiero cominciava a salire, verso la cima della montagna; alla fine dovemmo smettere di cantare, perché avevamo bisogno di tutto il nostro fiato per la salita. Il terreno era coperto di vecchie radici di erica e greve di umidità, così che, a ogni passo, le scarpe mi si orlavano di fanghiglia scura. Le gambe cominciavano a dolermi e così pure la schiena; avevo il fiato corto. Mi proponevo come meta la cima che mi stava davanti, ma subito dopo se ne presentava un'altra, e un'altra ancora dopo di quella. C'era di che scoraggiarsi.

E poi, proprio mentre stavo per abbandonare ogni speranza di arrivare in qualche luogo, davanti a noi apparve all'improvviso un dente di roccia nera, un picco che sembrava bucare l'azzurro del cielo, una nuda parete che cadeva a strapiombo per parecchie centinaia di metri fino ai piedi di uno stretto valloncello scuro.

Mi arrestai puntando il dito davanti a me. «Sinclair, che cos'è quello?»

«Il Picco del Diavolo.» Aveva portato con sé una carta. Seduti per terra, lui la dispiegò, cercando di tenerla aperta contro il vento, e identificò le cime che ci stavano intorno. Ben Vrottan e Cairn Toul, Ben Macdui e la lunga cresta che portava a Cairngorn.

«E questa valle cos'è?»

«Glen Dee.»

«E quel torrentello?»

«Quel torrentello, come tu lo chiami, è il grande Dee, all'inizio del suo corso.» E davvero pareva impossibile riconoscere in quel modesto corso d'acqua, il fiume maestoso che avevamo visto poche ore prima.

Mangiammo un po' di cioccolata e riprendemmo il cammino, questa volta fortunatamente in discesa fino a quando incontrammo il lungo sentiero per Lairig Ghru, che si snodava davanti a noi, uno sgorbio bianco in mezzo all'erba scura, che saliva dolcemente fino a un punto lontano dell'orizzonte, dove le montagne e il cielo sembravano incontrarsi. Continuammo a camminare, il Picco del Diavolo torreggiante sopra di noi, fino a che non sparì. Eravamo soli ora, veramente soli. Non c'era traccia di conigli o lepri. Né di cerbiatti o pernici. Neppure di aquile. Nulla e nessuno rompeva il silenzio. Non un solo essere vivente si muoveva intorno. Si udiva soltanto il suono dei nostri passi e Sinclair che aveva ripreso a fischiettare.

In quel momento scorgemmo in lontananza una casa, un capanno di pietra nascosto ai piedi della collina dalla parte opposta, sull'altra riva del fiume.

«Che cos'è quello?» domandai.

«Un rifugio per gli alpinisti, in caso di maltempo.»

«Come abbiamo camminato? Siamo in orario?»

«Abbiamo camminato bene.»

Dopo un po' dissi ancora: «Ho fame».

Mi sorrise di sopra la spalla. «Ci fermeremo a mangiare al rifugio» promise.

Più tardi ci riposammo stesi al sole, adagiati nell'erba gonfia d'aria. Sinclair con la testa appoggiata al pullover arrotolato a mo' di cuscino, io con la testa posata sul suo petto. Tenevo gli occhi fissi nell'azzurro immenso del cielo deserto e pensavo che stare con un cugino era una cosa abbastanza strana, c'erano momenti in cui ci sentivamo vicini come fratello e sorella, ma altri in cui fra di noi si frapponeva una sorta di disagio. Mi dissi che dipendeva dal fatto che non eravamo più bambini... dipendeva anche dal fatto che trovavo Sinclair terribilmente attraente e tuttavia non riuscivo a spiegare del tutto a me stessa un certo istintivo ritegno, come se mi sentissi risuonare nella testa un singolare campanello d'allarme.

Un moscerino o qualcosa di simile mi si posò sul viso e lo scacciai con la mano. Ritornò e allora esclamai: «Accidenti!».

«Accidenti che cosa?» risuonò la voce assonnata di Sinclair.

«Una mosca.»

«Dove?»

«Sul naso.»

La sua mano si abbassò sul mio viso per scacciare la mosca. Si fermò poi sulla curva della mascella e le sue dita si richiusero intorno al mio mento.

Disse: «Se ci addormentiamo ci risveglieremo sentendo Gibson e tutta la pattuglia del Soccorso Alpino aggirarsi rumorosamente sulla montagna alla nostra ricerca».

«Non ci addormenteremo.»

«Come fai a esserne tanto sicura?»

Non risposi, non potevo parlare della tensione che mi attanagliava lo stomaco al tocco della sua mano... il fatto è che non sapevo spiegarmi se quella tensione era di natura sessuale o se era... paura? Pareva una parola molto strana da usare riferendosi a Sinclair, ma la conversazione che avevo udito la sera precedente riaffiorava dal mio inconscio e presi a rimuginarci sopra, come un cane che si arrabatta con un osso vecchio e senza sapore. Mi dissi che avrei dovuto fare in modo di vedere la nonna prima di uscire di casa quella mattina. Uno sguardo al suo viso e avrei saputo come stavano le cose. Ma lei non si era fatta vedere prima della nostra partenza e se dormiva ancora non avrei mai osato disturbarla.

Mi rigirai, sentendomi a disagio, e Sinclair esclamò: «Che ti succede? Sei tesa come una corda di violino. Devi avere qualche preoccupazione segreta, forse qualche nascosto senso di colpa».

«Perché mai dovrei avere dei sensi di colpa?»

«Sei tu che me lo devi dire. Forse per aver lasciato solo il tuo paparino.»

«Papà? Tu stai scherzando.»

«Vuoi dire che sei stata ben felice di toglierti di dosso la sabbia di Reef Point, California?»

«Niente affatto. Ma papà per il momento è assai ben accudito e non merita certo i miei sensi di colpa.»

«Allora dev'essere qualche altra cosa.» Col polpastrello del pollice mi sfiorava leggermente la guancia. «Lo so, è l'avvocato, innamorato cotto.»

«Il che cosa?» Ora il mio stupore era autentico.

«L'avvocato. Sai bene, il vecchio gentiluomo in persona.»

«È inutile che tu faccia dello spirito... e non so proprio di che cosa tu stia parlando.» Ma naturalmente lo sapevo benissimo.

«David Stewart, tesoro mio. Lo sai che ieri sera non riusciva un solo momento a toglierti gli occhi di dosso? Ti ha guardato per tutto il tempo della cena, con un bagliore bramoso negli occhi. Devo ammettere che eri uno spettacolo assai gradevole. Dove hai preso quel seducente costume orientale?»

«A San Francisco, e tu ti stai rendendo ridicolo.»

«Niente affatto ridicolo... sono sincero, lo si vedeva lontano un miglio. Che effetto ti fa l'idea di essere la donna dei sogni di un vecchio?»

«Ma Sinclair, non è affatto vecchio.»

«Immagino che avrà per lo meno trentacinque anni. Ma è una persona tanto fidata, cara mia.» La sua voce aveva preso i toni mielati di una vecchia, disseccata regina madre. «E un così caro ragazzo.»

«Sei una vera carogna.»

«Così è, mia cara.» E senza alcun mutamento di espressione, continuò. «Quando pensi di ritornare in America?»

Fui colta alla sprovvista. «Perché?»

«Semplicemente per saperlo.»

«Fra un mese?»

«Così presto? Speravo che ti saresti fermata. Abbandonando tuo padre per mettere radici nella tua terra natia.»

«Voglio troppo bene a mio padre per abbandonarlo. E poi, che cosa farei qui?»

«Potresti cercarti un lavoro?»

«Mi sembra di sentire la nonna. E poi non posso cercarmi un lavoro perché non ho imparato a fare niente di speciale.»

«Potresti sempre fare la segretaria.»

«No, non potrei. Ogni volta che tento di scrivere qualcosa a macchina, esce un disastro.»

«Oppure potresti sposarti» disse ancora lui.

«Non conosco nessuno.»

«Conosci me» disse Sinclair.

Il pollice che mi sfiorava la guancia si arrestò all'improvviso. Dopo un momento mi sollevai a sedere e lo guardai. I suoi occhi erano più azzurri del cielo, ma il loro sguardo limpido non tradiva alcunché.

«Che cosa hai detto?»

«Ho detto che conosci me.» La sua mano si mosse e mi afferrò il polso, chiudendolo facilmente fra le dita.

«Non puoi parlare sul serio.»

«Non posso? Bene allora, facciamo finta che io parli sul serio. Che cosa ne diresti?»

«Ma, in primo luogo, sarebbe praticamente un incesto.»

«Sciocchezze.»

«E perché io?» Mi riscaldavo parlando di me stessa. «Sai perfettamente di avermi sempre considerata brutta e insulsa come un palo del telegrafo. Lo dicevi continuamente...»

«Non ora. Ora non sei più brutta. Ti sei trasformata in una splendida vichinga...»

«E non posseggo nessuna particolare qualità. Non sono nemmeno capace di aggiustare i fiori in un vaso.»

«E perché mai dovrei desiderare che tu aggiusti fiori nei vasi?»

«E comunque, non posso credere che tu non abbia schiere di donne appassionate, sparse in tutte le isole britanniche, che si struggono d'amore per te e non sognano altro che il giorno in cui tu chiederai loro di sposarti.»

«Può darsi» rispose Sinclair con una sorta di compiacimento che mi faceva impazzire. «Ma io non le voglio.»

Meditai un momento sull'idea e, a prescindere dalla mia volontà, mi accorsi che mi affascinava.

«Dove andremmo a vivere?»

«A Londra, naturalmente.»

«Io non voglio vivere a Londra.»

«Sei pazza. È l'unico luogo dove si possa vivere. Tutto si svolge là.»

«A me piace la campagna.»

«Andremo in campagna per i weekend – è quello del resto che faccio sempre – andremo a stare dagli amici...»

«A fare che cosa?»

«A gironzolare un po'. Andare in barca a vela, può darsi. Andare alle corse...»

Rizzai le orecchie. «Alle corse?»

«Non sei mai stata alle corse? È la cosa più eccitante che esista.» Si sollevò a sedere, appoggiandosi a un gomito, gli occhi all'altezza dei miei. «Ti sto convincendo?»

«Sembra che tu stia trascurando un piccolo particolare.»

«E sarebbe?»

«L'amore.»

«L'amore?» Sorrise. «Ma Janey, certo che noi ci amiamo. È così da sempre.»

«Ma non è la stessa cosa.»

«Cosa vuoi dire?»

«Non te lo posso spiegare se non lo sai già.»

«Provaci.»

Rimasi seduta in silenzio. Turbata. Sapevo che in un certo senso aveva ragione. Lo avevo sempre amato. Quando eravamo bambini lui era per me la persona più importante al mondo. Ma non ero del tutto sicura dell'uomo che, nel frattempo, era diventato.

Timorosa che potesse leggermi in viso quel che mi passava nella mente, abbassai la testa e cominciai a strappare ciuffi d'erba, con tanta forza da portar via anche le radici. Poi li lasciavo andare e il vento li spazzava via.

Alla fine dissi: «Immagino che dipenda dal fatto che siamo entrambi cambiati. Tu sei diventato una persona del tutto diversa. E io praticamente sono un'americana...».

«Oh, Janey...»

«No, è vero. Sono stata allevata laggiù, là sono andata a scuola, il fatto che abbia un passaporto inglese non può modificare questa realtà. O il mio modo di vedere le cose.»

«Tu stai girando intorno alla questione. Lo sai questo, non è vero?»

«Forse sarà così. Ma non dimenticare che tutta questa conversazione si basa su dati ipotetici... stiamo discutendo su una premessa...»

Sinclair respirò profondamente, come se volesse riprendere a parlare, ma poi parve cambiare idea e scoppiò soltanto in una gran risata. «Potremmo starcene qui seduti a discutere tutto il giorno e "stancare il sole con le nostre chiacchiere".»

«Non sarebbe meglio se ci mettessimo in cammino?»

«Sì, abbiamo ancora almeno dieci miglia da percorrere, anche se abbiamo fatto molta strada.»

Sorrisi. Lui mi passò una mano sulla nuca, attirando verso di sé il mio viso e mi baciò la bocca dischiusa, sorridente.

Me lo ero quasi aspettato, ma non ero preparata alla mia reazione di panico. Dovetti costringermi a restare immobile nelle sue braccia, aspettare che finisse e, quando si staccò da me, restai per un momento immobile. Poi, lentamente, cominciai a raccogliere nel sacco da montagna la carta con cui erano stati avvolti i sandwich, i bicchieri rossi di plastica. D'un tratto la nostra solitudine mi fece paura e vidi noi due, minuscoli come formiche, uniche creature viventi in quel paesaggio immenso e deserto, e mi chiesi se Sinclair mi avesse portato lassù con l'intenzione di intavolare quella straordinaria discussione o se l'idea di sposarmi era soltanto il capriccio di un momento, sollevato da un colpo di vento.

Dissi: «Sinclair, dobbiamo andare. Dobbiamo davvero metterci in cammino».

I suoi occhi erano pensosi. Ma sorrise soltanto e rispose: «Sì». Si alzò, prese il sacco dalle mie mani e si mosse per precedermi sullo stretto sentiero che portava al passo ancora lontano.

Arrivammo che era già buio. Le ultime miglia le avevo percorse camminando alla cieca, semplicemente mettendo un piede davanti all'altro, non osando arrestarmi, perché se mi fossi fermata non sarei più riuscita a muovermi. Quando finalmente arrivammo all'ultima curva del sentiero e vedemmo fra gli alberi il ponte, il cancello e Gibson con la Land Rover che ci aspettava sulla strada poco oltre, mi parve quasi impossibile di aver davvero fatto tutta quella strada. Con i muscoli doloranti percorsi gli ultimi metri, scavalcai la barriera e mi lasciai cadere nell'automobile. Quando tentai di accendermi una sigaretta mi accorsi che mi tremavano le mani.

Tornammo verso casa immersi nella foschia azzurra della sera. A oriente si era levata una piccola luna nuova, pallida e sottile come una palpebra che pendeva bassa nel cielo. I fari della macchina saggiavano la strada, un coniglio balzò via come un lampo per mettersi al coperto, gli occhi di un cane randagio scintillarono davanti a noi come due pietre luminose e scomparvero alla vista. Accanto a me i due uomini chiacchieravano, ma io, chiusa nel mezzo, ciondolavo pesantemente, silenziosa, in preda a una stanchezza che non era solo fisica.

La notte fui svegliata dallo squillo del telefono. Il trillo, acuto nel silenzio, perforò i miei sogni e mi strappò al riposo, come un pesce catturato dall'amo. Non avevo idea di che ora fosse, ma guardando attraverso la finestra vidi lo spicchio di una luna alta sopra il lago, il suo riflesso che sfiorava le acque scure con piccole pennellate d'argento.

Il trillo continuava. Stordita, scivolai dal letto, attraversai la stanza e uscii sul pianerottolo. Il telefono era al piano di sotto, nella biblioteca, ma c'era un secondo apparecchio anche al piano superiore, in un corridoio che portava alle camere dei bambini, e fu lì che mi diressi.

A un certo punto, mentre camminavo come una sonnambula, il trillo doveva essere cessato, ma ero troppo intontita dal sonno per rendermene conto. Quando raggiunsi l'apparecchio, qualcuno aveva già sollevato il ricevitore al piano terra, una voce stava già parlando. Una voce femminile, sconosciuta, ma gradevolmente alta di tono, attraente. «... certo che sono sicura, ho visto il medico oggi nel pomeriggio, dice che non c'è più alcun dubbio. Senti, penso che dovremmo parlarne... Mi farebbe comunque piacere vederti, ma non posso allontanarmi...»

Ascoltando in quello stato di torpore, immaginai

che ci fosse un contatto, che le linee si fossero sovrapposte. La telefonista dell'ufficio di Caple Bridge doveva aver fatto un errore, o forse si era addormentata. Quella chiamata non era per noi. Stavo per parlare, per intervenire, quando mi arrivò, chiarissima, una voce maschile. Di colpo fui perfettamente sveglia, lucida.

«È davvero così urgente, Tessa? Non si può ritardare di qualche giorno?» La voce di Sinclair. Dall'altro capo del filo.

«Ma certo che è urgente... non abbiamo tempo da perdere...» e poi, la voce meno calma, con una lieve punta di isterismo. «Sinclair, aspetto un bambino...»

Posai il ricevitore con mano cauta, silenziosamente. L'apparecchio fece un leggerissimo clic e le voci si spensero. Rimasi immobile nel buio, tremante, poi ritornai verso il pianerottolo e mi sporsi oltre la balaustra per ascoltare. Sotto di me le scale e il vestibolo erano un pozzo di oscurità, ma dietro la porta chiusa della biblioteca veniva il mormorio inequivocabile della voce di Sinclair.

Avevo i piedi ghiacciati. Camminando piano, intirizzita, tornai verso la mia camera e mi infilai a letto. In quel momento udii un unico breve squillo del telefono e capii che la conversazione era finita. Poco dopo Sinclair salì senza rumore le scale. Entrò in camera sua e di lì vennero suoni lievi, soffocati, un aprirsi e chiudersi di cassetti, un rumore di passi. Poi uscì nuovamente dalla sua stanza e ridiscese le scale. La porta dell'ingresso si aprì e si richiuse e qualche momento dopo udii il brontolio minaccioso della Lotus mentre Sinclair accendeva il motore, scendeva per il viale e si allontanava sulla strada statale.

Mi accorsi che stavo tremando violentemente, come non mi succedeva da quando ero bambina e mi risvegliavo da un incubo convinta che ci fossero dei fantasmi nell'armadio.

8

La mattina seguente, quando scesi a fare colazione, trovai la nonna già a tavola. Mi chinai per baciarla e lei mi disse: «Sinclair è partito. È andato a Londra».

«Come lo sai?»

«Ha lasciato una lettera sul tavolo dell'ingresso...» Cercò fra la posta che aveva appena aperto, ne trasse una lettera e me la porse. Era la carta da lettere di casa, con *Elvie* inciso in testa al foglio; la sua calligrafia era energica e nera, testimoniava la sua personalità.

Desolato, devo partire per il Sud per un giorno o due. Sarò a casa lunedì sera o martedì mattina. Abbiate cura di voi mentre io sono assente e non combinate guai.

Con affetto

Sinclair

Questo era tutto. Posai la lettera e la nonna disse: «Stanotte il telefono ha suonato alle dodici e mezzo. Lo hai sentito?».

Andai a versarmi il caffè, grata di avere una ragione per non guardarla in viso.

«Sì, l'ho sentito.»

«Volevo andare a rispondere, ma ero quasi sicura che la chiamata fosse per Sinclair, così l'ho lasciato suonare.»

«Sì...» Ritornai verso la tavola con la tazza piena in mano. «Fa... fa sovente di queste cose?»

«Oh, di tanto in tanto.» Scelse fra la posta un paio di conti e li mise in disparte. Capii che anche lei come me pareva alla ricerca di qualcosa che la tenesse occupata. «Conduce una vita così piena e poi il suo lavoro gli porta via una enorme quantità di tempo... non è come stare in un ufficio dalle nove alle cinque.»

«No, immagino di no.» Il caffè era bollente e molto forte e contribuì a sbloccare quella tensione che mi irrigidiva la nuca. Sentendomi vagamente incoraggiata, aggiunsi: «Forse si tratta di una sua amica».

La nonna mi lanciò un'occhiata tagliente, un lampo nei suoi occhi azzurri. Ma disse soltanto: «Già. Può darsi».

Appoggiai i gomiti sulla tavola e cercai di assumere un'aria indifferente. «Posso ben immaginare che ne abbia centinaia. È pur sempre l'uomo più bello che io abbia mai visto. Non ne porta mai a casa qualcuna? Ne hai mai conosciuta qualcuna?»

«Oh, qualche volta, quando vado a Londra... Sai, le porta a cena o andiamo insieme a teatro o cose del genere.»

«Hai mai pensato che possa sposare una di loro?»

«Non si può mai essere sicuri, ti pare?» La voce era fredda, come se l'argomento non la interessasse. «La vita che conduce a Londra è così diversa da quella che fa quando viene qui. Per Sinclair, Elvie è una specie di cura di riposo... se ne va in giro, bighellonando.

Credo che sia ben contento di starsene ogni tanto lontano dalla vita notturna e dai pranzi troppo impegnativi del suo conto spese.» *expense*

«Non ce n'è mai stata una in particolare? Qualche ragazza che ti piacesse più delle altre?»

La nonna depose le lettere che aveva in mano. «Sì, ce n'è stata una.» Si tolse gli occhiali e rimase al suo posto, guardando oltre la finestra, oltre il giardino, là dove il lago splendeva azzurro nel sole di un'altra stupenda giornata autunnale. «La conobbe in Svizzera, dove era andato a sciare. Credo che si siano frequentati parecchio quando lei ritornò a Londra.»

«A sciare?» dissi. «Se non sbaglio mi avevi mandato una fotografia.»

«Davvero? Oh, sì, ricordo, è stato a Capodanno, a Zermatt. È là che si sono conosciuti. Mi pare che lei prendesse parte a non so quale campionato, sai quelle gare internazionali...»

«Dev'essere molto brava.»

«Oh, sì. È piuttosto famosa...»

«L'hai mai incontrata?»

«Sì, una volta Sinclair la portò a pranzo al Connaught, quando io mi trovavo in città durante l'estate. Una ragazza deliziosa.»

Presi un altro toast e cominciai a imburrarlo. «Come si chiama?»

«Tessa Faraday... Probabilmente l'avrai sentita nominare.»

L'avevo sentita nominare, ma non come credeva la nonna. Guardai il toast che stavo imburrando e d'improvviso ebbi la sensazione che, se lo avessi mangiato, sarei stata male di stomaco.

impegnare – ti do smthg – make effort

129

Dopo colazione tornai in camera mia e presi il portaritratti pieghevole in cui tenevo tutte le mie fotografie di famiglia; ne tolsi quella che la nonna mi aveva mandato e che avevo sistemato nella mia raccolta in modo che si vedesse solo Sinclair mentre la sua compagna restasse nascosta sotto un'altra fotografia.

Ma ora era lei che mi interessava. Vidi una ragazza piuttosto piccola, snella, con gli occhi scuri e il viso ridente, i capelli tenuti indietro da un nastro. Portava un abito pantalone di velluto ornato da un ricamo e aveva il braccio di Sinclair attorno alle spalle, entrambi avvolti in un groviglio di stelle filanti. Aveva un aspetto allegro, vitale, un'espressione molto felice e, ricordando la voce che avevo udito quella notte al telefono, provai un subitaneo senso di angoscia per lei.

Il fatto che Sinclair fosse partito così prontamente per Londra – per vederla, molto probabilmente – avrebbe dovuto rassicurarmi, ma non era così, non sapevo perché. La sua partenza era stata troppo brusca, frettolosa, priva di ogni personale riguardo per la nonna o per me. A malincuore dovetti ripensare al suo atteggiamento nei confronti di Gibson, quando lui e la nonna avevano avuto quella discussione sulla eventualità di mandare in pensione il vecchio fattore, e mi resi conto che, del tutto inconsciamente, avevo cercato di trovare delle scuse per il comportamento di Sinclair.

Ma ora le cose erano diverse ed ero costretta a essere sincera con me stessa. All'improvviso mi si presentò alla mente la parola "crudele". Sì, quando si trattava degli altri, Sinclair sapeva essere spietato e mi sentii colmare il cuore di tristezza al pensiero di quella giovane donna che non conoscevo. Potevo soltanto sperare che lui provasse anche altri sentimenti, tenerezza, compassione.

Dal vestibolo venne la voce della nonna che mi chiamava: «Jane!».

In gran fretta riposi la fotografia al suo posto nel portaritratti, lo rimisi sul tavolino da toelette e uscii sul pianerottolo.

«Sì?»

«Che cosa hai intenzione di fare, oggi?»

Scesi a metà scala e sedetti sui gradini e di lì le risposi... «Vado a fare acquisti. Devo comprarmi qualche pullover, altrimenti morirò di freddo.»

«Dove hai pensato di andare?»

«A Caple Bridge.»

«Ma tesoro, non c'è niente da comprare a Caple Bridge.»

«Sono certa che troverò almeno un pullover...»

«Io devo andare a Inverness per una riunione del consiglio dell'ospedale... perché non vieni con me in macchina?»

«Perché David Stewart ha il mio denaro. Gli ho dato da cambiare per me i dollari che ho ricevuto da papà prima di partire. E mi ha detto che vuole invitarmi a pranzo.»

«Oh, che gentile... Ma come pensi di andare fino a Caple Bridge?»

«Prenderò l'autobus. La signora Lumley mi ha detto che ce n'è uno ogni ora che ferma all'angolo della strada.»

«Be', come preferisci» ma la sua voce era ancora dubbiosa. Ferma ai piedi della scala, una mano posata sul pomo della ringhiera, si tolse gli occhiali e mi fissò con occhi penetranti di sotto le sopracciglia finemente arcuate. «Hai l'aria stanca, Jane. Ieri quella passeggiata è stata davvero troppo faticosa per te, dopo quel lunghissimo viaggio.»

«No, non mi sono affaticata. Mi è piaciuto moltissimo.»

«Avrei dovuto convincere Sinclair ad aspettare un giorno o due...»

«Ma in tal caso avremmo forse perduto quel tempo meraviglioso.»

«Già. Forse. Ma ho notato che a colazione non hai mangiato quasi nulla.»

«Non mangio mai il mattino. È la verità.»

«Be', ma devi assicurarti che David ti offra un pranzo come si deve...» Fece per andarsene, ma poi le venne in mente qualche altra cosa, perché tornò a rivolgersi a me. «Oh, Jane... Dal momento che vai a fare acquisti, perché non mi permetti di regalarti un nuovo impermeabile? Dovresti avere qualcosa di veramente caldo da indossare.»

Malgrado tutto, sorrisi. Mi piaceva quando si abbandonava così alla sincerità. Malignamente risposi: «Ma perché? Il mio non va bene?».

«Se proprio lo vuoi sapere, ti fa sembrare uno stagnino.» *watertight*

«Sono dieci anni che lo porto e nessuno mi aveva detto una cosa simile prima d'ora.»

La nonna sospirò. «Ogni giorno che passa diventi sempre più simile a tuo padre.» Senza sorridere della mia battuta andò al suo scrittoio e compilò un assegno che mi sarebbe bastato per comprare un mantello foderato di pelliccia, lungo fino ai piedi e con il cappuccio di visone, se lo avessi desiderato.

Ferma in pieno sole all'estremità della strada aspettai l'autobus che mi avrebbe portato a Caple

Bridge. Non ricordavo di aver mai visto una giornata così bella e fresca, lucente di sole e piena di colore. C'era stato un breve acquazzone durante la notte e ora tutto brillava come lavato di fresco e l'asfalto bagnato rifletteva l'azzurro intenso del cielo. Le siepi erano cariche di bacche scarlatte, le felci erano d'oro e le foglie degli alberi avevano assunto tutti i possibili colori, dal giallo chiarissimo al rosso purpureo. L'aria, che scendeva a folate dal Nord, era fredda ed eccitante come vino ghiacciato e aveva un che di pungente; faceva pensare che, più a settentrione, dovesse essere già caduta la prima neve.

L'autobus comparve oltre la curva, si fermò per me. Salii. Era affollato di gente di campagna che andava a Caple Bridge per le spese settimanali. L'unico posto a sedere che trovai fu accanto a una donna molto grassa con un cestino sulle ginocchia. Portava un cappello di feltro blu ed era così robusta che riuscii a occupare soltanto un angolo del mio sedile, e ogni volta che l'autobus prendeva una curva rischiavo di finire per terra.

Caple Bridge distava solo cinque chilometri e conoscevo quella strada bene quanto conoscevo Elvie. C'ero passata tante volte a piedi, in bicicletta oppure contando le pietre miliari dal finestrino dell'auto della nonna. Conoscevo per nome tutte le persone che vivevano nei cottage che la costeggiavano... la signora Dargie, la signora Thompson e la signora Willie McCrae. E qui c'era la casa dove abitava un cane di cattivo carattere e più in là il campo dove pascolava un gregge di belle caprette bianche.

Arrivammo al fiume e lo seguimmo per un mezzo miglio circa, poi la strada si piegava in un'ampia curva a esse per attraversare il corso d'acqua su uno stretto ponte gibboso. Fino a lì, nulla apparentemente era mutato in tutti gli anni che ero stata lontana, ma quando l'autobus varcò cauto il ponte, scavi e semafori testimoniavano lavori in corso per rettificare quella curva tanto pericolosa.

Dappertutto segnali e luci rosse. Intere siepi erano state spazzate via lasciando nel terreno profonde cicatrici; operai armati di picconi e di vanghe erano al lavoro mentre enormi bulldozer si muovevano urlanti come mostri preistorici e tutto attorno si levava l'odore forte e gradevole del catrame bollente.

Il semaforo era rosso. Aspettammo con il motore acceso. Venne il verde e l'autobus riprese a camminare, lentamente, lungo lo stretto passaggio fra le luci, e finalmente ritornò sulla strada principale. La donna che mi sedeva accanto cominciò ad agitarsi, controllando il contenuto della sua cesta, levando gli occhi alla reticella su cui posavano i bagagli.

Le dissi: «Vuol prendere qualcosa?».

«Ho messo lassù l'ombrello.»

Mi alzai, cercai l'ombrello, glielo diedi, e insieme all'ombrello un grosso cartone di uova e un grosso mazzo di aster, maldestramente avvolti in carta di giornale. Quando tutto fu raccolto e consegnato alla proprietaria, fummo a destinazione. L'autobus compì un'ampia curva davanti al municipio, entrò nella piazza principale e si arrestò.

Non avendo né ceste né altri ingombri, fui tra i primi a scendere. La nonna mi aveva spiegato dove si trovava lo studio legale e, dal punto in cui mi trovavo, vedevo benissimo proprio di fronte a me, dall'altra parte della piazza, l'edificio quadrato di pietra che mi aveva descritto.

Lasciai defluire il traffico, traversai il piazzale e

varcai la soglia. Nell'ingresso vidi la targa con i nomi e seppi così che l'avvocato D. Stewart si trovava nello studio numero 3. Salii una scala piuttosto buia, le pareti decorate in verde marcio e marrone fango, oltrepassai una porta a vetri colorati che non lasciava passare alcuna luce e finalmente bussai.

«Avanti» disse la sua voce.

Entrai e fui felice di vedere che il suo studio, per lo meno, era allegro e luminoso, con un tappeto davvero bello. La finestra dava sulla movimentata piazza principale, sulla mensola del caminetto c'era una brocca piena di fiori freschi. In qualche modo David Stewart era riuscito a creare un ambiente di lavoro accogliente e sereno. Egli portava – probabilmente perché era sabato – una camicia a scacchi e una giacca di tweed e, quando alzò gli occhi e si aprì in un sorriso di benvenuto, il peso angoscioso che mi stringeva la bocca dello stomaco da tutta la mattina smise di colpo di essere tanto opprimente.

Si alzò per venirmi incontro e io esclamai: «È una mattina meravigliosa!».

«Non è vero? Troppo bella per lavorare.»

«Lavora sempre il sabato?»

«Qualche volta... dipende da quanto è rimasto in sospeso. È incredibile quante cose si riescano a sbrigare quando non c'è il telefono che disturba continuamente.» Aprì un cassetto della sua scrivania. «Ho cambiato i suoi dollari al cambio della giornata... ho qui il conto...»

«Non si preoccupi di questo.»

«Ma lei dovrebbe preoccuparsene, Jane; il suo sangue scozzese dovrebbe assicurarsi che non l'ho truffata neppure di un soldino.»

«Be', se lo avesse fatto, può considerarla la sua

commissione.» Allungai la mano e lui mi diede un fascio di banconote e degli spiccioli. «Ora può davvero darsi alla pazza gioia come una riccona, anche se non riesco neppure lontanamente a immaginare come potrà trovare il modo di spendere tutto questo denaro in un posto come Caple Bridge.»

Mi cacciai il denaro nella tasca del vecchio impermeabile, quello che mi faceva sembrare uno stagnino.

«È quello che ha detto anche la nonna. Voleva che la accompagnassi a Inverness, ma le ho detto che avrei pranzato con lei.»

«Le piacciono le bistecche?»

«Non ho più visto una vera bistecca da quando mio padre mi invitò a cena per il mio compleanno. A Reef Point vivevamo di pizza fredda.»

«Quanto tempo le ci vorrà per i suoi acquisti?»

«Una mezz'oretta...»

Parve meravigliato. «Soltanto?»

«Detesto andare per negozi. Non si trova mai niente che vada bene e quando trovo la misura giusta, non mi piace... Tornerò con addosso una quantità di cose che non mi si addicono e probabilmente sarò di pessimo umore.»

«Le dirò che sono bellissime e l'adulerò fino a quando sarà tornata di buon umore.» Guardò l'orologio. «Mezz'ora... diciamo a mezzogiorno? Qui?»

«Benissimo.»

Uscii con le tasche piene di soldi e cercai subito qualche negozio dove spenderli. C'erano macellai, droghieri, venditori di selvaggina, un armaiolo e un garage. Alla fine, tra l'ufficio postale e l'immancabile gelataio italiano, che si trova in tutti i piccoli centri della Scozia, scovai il negozio di mode Isabel McKenzie. O, per essere più precisa, Isabel MODE

McKenzie. Entrai, passando oltre una porta a vetri modestamente coperta da una tenda a rete, e mi trovai in una stanzetta con le pareti appesantite di scaffali, pieni di abiti dall'aspetto assolutamente impossibile. C'era un banco di vetro sotto il quale occhieggiava biancheria intima color pesca e beige e qua e là, drappeggiati con gusto, tristi pullover color spago.

Mi sentii cadere le braccia, ma prima che potessi fuggire, sul fondo della stanza si aprì una tenda e comparve una donnina piccola, col musetto da topo, che indossava un vestito di jersey, decisamente troppo grande per lei, con un'enorme spilla scozzese sul petto.

«Buongiorno.» Dall'accento indovinai che doveva essere di Edimburgo e mi chiesi se fosse Isabel MODE McKenzie in persona e, se lo era, quale destino l'aveva portata a Caple Bridge. Forse qualcuno le aveva detto che qui il commercio dell'abbigliamento andava a gonfie vele.

«Oh... buon giorno. Io... io vorrei un pullover.»

Appena pronunciate quelle parole mi resi conto di aver compiuto il primo errore.

«Abbiamo dei jersey molto belli. Lo vuole in lana o in bouclé?»

Dissi che lo volevo di lana.

«E di quale misura?»

Risposi che sarebbe andata bene una misura media.

Lei cominciò a svuotare sul tavolo gli scaffali e ben presto mi trovai a divincolarmi fra pullover rosa antico, verde muschio e color foglie morte.

«Non... non avrebbe qualche altro colore?»

«A quale colore sta pensando?»

«Oh... un blu scuro?»

«Ma quest'anno si porta pochissimo il blu scuro.» Mi chiesi da dove avesse preso quell'informazione. Forse aveva un filo diretto con Parigi.

«Ecco, questa è una bellissima sfumatura...»

Era un blu petrolio, un colore che sicuramente non si accorda con niente e non sta bene a nessuno.

«Veramente volevo qualcosa di più semplice... sa, qualcosa di caldo, di pesante... forse con un collo a polo...?»

«Oh, no, non abbiamo niente con il collo a polo... il collo a polo quest'anno non è...»

La interruppi bruscamente, ma cominciavo davvero a sentirmi disperata.

«Non importa, allora, rinuncerò al pullover... al jersey... Ma forse ha delle gonne?»

E tutto ricominciò. «Desidera un tartan o del tweed...?»

«Tweed, immagino...»

«E qual è la sua misura di vita?»

Glielo dissi, cominciando a sentirmi molto nervosa. Ripresero le ricerche, questa volta lungo una stanga carica di gonne disperatamente brutte. Alla fine ne prese due e me le depose davanti con un gran gesto. Una era indescrivibile. L'altra non così disastrosa, in un tweed spigato bianco e marrone. Accettai debolmente di provarla, venni spinta in uno spazio grande quanto un armadio, chiuso da una tenda, abbandonata a me stessa e alla gonna. Con una certa difficoltà lottai per uscire dai miei vestiti in quello spazio così ristretto e mi infilai l'indumento. Il tweed mi pizzicava le gambe come fosse stato tessuto con del cardo. Riuscii a chiudere il gancio alla vita e la lampo, e poi mi guardai nel grande specchio. L'effetto era impressionante. Lo spigato saliva a zigzag come in un'opera di pop-art rendendo i miei fianchi elefantini; la cintura mi incideva nella carne come fosse filo di ferro.

Isabel MODE McKenzie tossì discreta prima di aprire la tenda, come un congiurato.

«Oh, le sta che è un amore!» esclamò. «Lei porta bene il tweed.»

«Non trova che è... be', un po' lunga?»

«Le gonne sono più lunghe quest'anno, sa...»

«Sì, ma questa mi copre quasi le ginocchia...»

«Be', se vuole potrei accorciargliela di un centimetro... le sta davvero molto bene... non c'è nulla che doni come un bel tweed...»

Per togliermi dagli impicci avrei finito probabilmente per comprarla, ma diedi un'altra occhiata allo specchio e ritrovai la mia volontà.

«No. No, temo proprio che non sia quello che cerco...» Aprii la lampo e mi tolsi la gonna prima che riuscisse a convincermi a comprare quella cosa orrenda, e lei la riprese con aria triste, allontanando con discrezione lo sguardo dalla mia sottoveste.

«Forse dovrebbe provare i tartan, gli antichi colori sono così morbidi...»

«No...» Indossai nuovamente la mia vecchia gonna americana "lava-e-non-stira", che non mi scaldava ma mi pareva una vecchia amica. «No, credo che rinuncerò... era semplicemente un'idea... la ringrazio molto...»

Infilai l'impermeabile, presi la borsetta e insieme sgusciammo, quasi furtive, verso la porta coperta dalla tenda di rete. La donna ci arrivò prima di me e l'aprì con gesto riluttante, come se lasciasse uscire dalla gabbia un animale pregiato.

«Se vuol passare un altro giorno...»

«Sì... può darsi...»

«Settimana prossima avrò i nuovi arrivi.»

Direttamente da Dior, senza dubbio. «Grazie molte... mi dispiace... buongiorno.»

Fuori e via, a gran velocità, all'aria aperta. Svoltai l'angolo e mi allontanai quanto più in fretta potei. Passai davanti all'armaiolo e poi – un lampo, un'ispirazione – mi voltai e tornai indietro, entrai nel negozio e, nello spazio di due minuti, comprai un maglione troppo grande blu scuro, da uomo. Sollevata oltre ogni dire al pensiero che la mia mattinata di compere non fosse stata un fiasco totale e stringendo con forza il pacco solidamente legato con lo spago, ritornai da David.

Mentre lui raccoglieva le sue carte e chiudeva i cassetti dell'archivio, sedetti sulla sua scrivania e gli raccontai la storia della mia disastrosa spedizione. Insaporita dai suoi commenti (sapeva imitare alla perfezione l'accento di Edimburgo) la storia crebbe a dismisura e alla fine risi tanto da sentirmi dolere le costole. Da ultimo ci riprendemmo; David infilò una pila di scartoffie dentro la sua grossa borsa, diede un'ultima occhiata intorno e poi chiuse la porta dell'ufficio alle nostre spalle. Scendemmo la scala tetra e ci trovammo fuori, nella strada affollata, piena di sole.

Abitava a solo un centinaio di metri dal centro della cittadina e ci avviammo a piedi, insieme. La vecchia borsa di David gli batteva continuamente contro le lunghe gambe. Di tanto in tanto dovevamo separarci per evitare una carrozzina ferma sul marciapiedi oppure due donne intente a chiacchierare fitto. La sua casa faceva parte di una schiera di casette tutte uguali, a due piani, ciascuna con il suo pezzetto di terreno, un modesto giardinetto e un sentiero di ghiaia che dal cancello conduceva all'ingresso. La casa di David si differenziava dalle altre soltanto perché lui vi aveva costruito un garage, sfruttando il piccolo spazio che divideva una costruzione dall'altra, con un viale asfaltato che lo congiungeva alla strada. E la porta di casa era dipinta di un bel giallo allegro, solare.

Aprì il cancello e io lo seguii lungo il sentiero, aspettando che aprisse il portone. Poi si fece di lato per lasciarmi entrare. L'ingresso era stretto, con una lunga scala e porte a destra e a sinistra e la cucina sul fondo, ben visibile attraverso la porta aperta. Avrebbe potuto essere una casa molto comune, eppure lui – o qualcuno per lui – l'aveva resa molto piacevole e accogliente con un'elegante moquette sul pavimento e sulle scale, una bella tappezzeria a fogliame e gruppi di stampe di caccia sistemate con molto gusto.

Prese il mio pacco e il mio impermeabile e li gettò, insieme alla sua borsa, su una sedia nell'ingresso. Mi fece passare nel soggiorno, un locale rettangolare, con finestre sui due lati. Fu solo allora che potei apprezzare la posizione del tutto unica della casetta: le finestre che davano sul lato sud erano state ingrandite fino a formare un'ampia veranda aperta su un giardino lungo e stretto che scendeva dolcemente fino al fiume.

La stanza era molto accogliente. Grandi scaffali di libri, una pila di dischi, giornali e riviste sparse sul tavolinetto basso davanti al caminetto. Ampie poltrone imbottite e un piccolo divano, una vetrinetta antica con belle porcellane di Meissen e sopra la mensola del camino... andai a guardare...

«Un Ben Nicholson?» Lui annuì. «Ma non l'originale.»

«Sì, è l'originale. Me lo regalò mia madre per i miei ventun anni.»

«Questa casa mi rammenta l'appartamento di sua madre a Londra... c'è la stessa atmosfera, lo stesso gusto...»

«Probabilmente perché è stata arredata prendendo i mobili dalla stessa casa. E poi è stata mia madre ad aiutarmi a scegliere le tende e le tappezzerie e gli oggetti.»

Segretamente contenta che fosse stata sua madre e non un'altra donna, mi accostai alla veranda. «Chi mai avrebbe pensato che lei potesse avere qui un simile giardino?» Fuori c'era una piccola terrazza con un tavolo di legno e delle poltrone, più in là iniziava il prato, cosparso in quel periodo dell'anno di foglie morte, con le aiuole in cui fiorivano ancora le ultime rose e ciuffi di aster violacei, una vaschetta per gli uccelli e un vecchio melo tutto contorto. «Si occupa lei del giardino?»

«Si può a malapena chiamarlo giardino, come vede, è così piccolo.»

«Ma in fondo c'è il fiume...»

«È stato quello l'elemento decisivo a favore, quando ho comprato la casa. Dico a tutti i miei amici che ho una zona di pesca sul Caple, e questo fa una enorme impressione. Naturalmente non dico che sono soltanto dieci metri.»

Sopra una libreria erano raccolte in gruppo numerose fotografie e istantanee, che mi attrassero irresistibilmente. «Questa è sua madre? E suo padre? E questo è lei?» Un ragazzo di forse dodici anni con un gran sorriso che conquistava immediatamente. «È lei?»

«Sì, sono io.»

«Allora non portava occhiali.»

«Non li ho portati fino ai sedici anni.»

«Che cosa accadde?»

«Un incidente. Giocavamo alla caccia alla volpe a scuola e il ragazzo che mi stava davanti lasciò ricadere il ramo d'un albero che mi colpì in viso. Non è stata colpa sua, avrebbe potuto accadere a chiunque. Ma io persi parzialmente la vista di un occhio e da allora ho sempre portato gli occhiali.»

«Che sfortuna!»

«Non è poi un gran guaio. Sono in grado di fare la maggior parte delle cose che voglio fare... eccetto giocare a tennis.»

«Perché non può giocare a tennis?»

«Non so esattamente il perché. Ma se riesco a vedere la palla non riesco a colpirla e, se riesco a colpirla, non la vedo. Non è un gran modo di giocare.»

Passammo in cucina, piccola come la cambusa di uno yacht e così linda che provai una tardiva vergogna al ricordo di come tenevo la mia a Reef Point. Gettò un'occhiata nel forno, dove aveva messo delle patate ad arrostire e poi prese da una credenza una padella, cercò del burro e tolse dal frigorifero un pacchetto macchiato di sangue, contenente un paio di vistose costate di manzo alte un dito.

«Vuol cucinarle lei o lo faccio io?» domandò.

«Lo faccia lei... Io intanto posso apparecchiare la tavola o fare qualche altra cosa.» Aprii la porta che conduceva al terrazzo, inondato da quel sole fuori stagione. «Non potremmo mangiare qui? È come essere in un paese del Mediterraneo.»

«Se vuole.»

«È splendido... possiamo usare questo tavolo?»

E, intanto che parlavamo, e io lo interrompevo continuamente per chiedere dove fosse questo e quello, riuscii alla fine a preparare la tavola. Nel frattempo lui aveva lavato e asciugato l'insalata, tagliato una baguette e tolto dal frigorifero minuscoli cubetti di burro ghiacciato. Quando tutto fu pronto, mentre le costate sfrigolavano dolcemente nella padella, egli versò due bicchieri di sherry e andammo a sederci in veranda.

David si tolse la giacca e si appoggiò all'indietro, allungando davanti a sé le lunghe gambe e volgendo la faccia al sole.

«Mi racconti di ieri» disse d'un tratto.

«Ieri?»

«Siete andati a Lairig Ghru.» Mi lanciò un'occhiata d'intesa: «O non ci siete andati?».

«Oh. Sì, ci siamo andati.»

«Come è stato?»

Cercai di ricordare come era stato e scoprii che non ricordavo nulla all'infuori di quella strana discussione che avevo avuto con Sinclair dopo aver mangiato.

«È stato... bellissimo. Meraviglioso, davvero.»

«Non sembra tanto entusiasta.»

«Be', è stato... meraviglioso.» Non riuscivo a trovare un'altra parola.

«Ma molto faticoso, probabilmente.»

«Sì, mi sono stancata davvero.»

«Quanto tempo avete impiegato?»

Di nuovo non riuscivo a rammentare. «Be', siamo ritornati che era già buio. Gibson è venuto a prenderci a Loch Morlich...»

«Uhmm.» Parve riflettere su quelle parole. «E che cosa fa oggi suo cugino Sinclair?»

Mi chinai, presi un sassolino e cominciai a farlo saltare raccogliendolo poi sul dorso della mano, come si usa fare per gioco. «È andato a Londra.»

«A Londra? Pensavo che fosse a casa, in permesso.»

«Infatti, lo è.» Lasciai cadere il sassolino e ne raccolsi un altro. «Ma la notte scorsa ha ricevuto una telefonata... non so di che cosa si trattasse... abbiamo trovato un biglietto questa mattina, scendendo a colazione.»

«È partito in macchina?»

Rammentai il ruggito della Lotus che spezzava il silenzio della notte. «Sì, ha preso la macchina.» Lasciai cadere anche il secondo sassolino. «Sarà di ritorno fra un giorno o due. Lunedì sera, forse, così almeno ha detto.» Non desideravo parlare di Sinclair e temevo che David facesse troppe domande, così, maldestramente, tentai di cambiare discorso. «Ma davvero lei riesce a pescare in fondo al suo giardino? Si direbbe che non ci sia neppure lo spazio per gettare l'amo... potrebbe restare attorcigliato ai rami del melo...»

E così la conversazione virò sulla pesca. Gli raccontai del fiume Clearwater nell'Idaho, dove papà mi aveva portato una volta in vacanza.

«... è pieno di salmoni... praticamente si possono prendere con un uncino...»

«Le piace l'America, vero?»

«Sì. Sì, mi piace.» Lui rimase zitto, disteso al sole e io, incoraggiata dal suo silenzio, mi accalorai sull'argomento, il dilemma nel quale venivo inevitabilmente a trovarmi. «Fa uno strano effetto appartenere a due paesi diversi, non si sa mai in quale ci si sente a casa propria. Quando ero in California desideravo di essere a Elvie. Ma ora che sono a Elvie...»

«Vorrebbe essere in California.»

«Non precisamente. Ma ci sono molte cose di cui sento la mancanza.»

«Cioè?»

«Be', cose in particolare. Mio padre, naturalmente. E Rusty. E il fragore del Pacifico la notte, quando i cavalloni si rovesciano sulla spiaggia.»

«E meno in particolare?»

«Questo è già più complicato.» Cercai di decidere quali fossero le cose che realmente mi mancavano. «L'acqua ghiacciata. La Bell Telephone Company. E San Francisco. E il riscaldamento centralizzato. E il centro di giardinaggio, dove si possono comprare piante di ogni genere e tutto ha il profumo di aranci in fiore.» Mi volsi verso David e vidi che mi stava osservando. I nostri occhi si incontrarono e mi sorrise. «Ma ci sono tante belle cose anche qui.»

«Me le dica.»

«Uffici postali, per esempio. In un ufficio postale di campagna si può comprare di tutto, persino i francobolli. E il tempo, che non è mai lo stesso per due giorni di seguito. È tanto più emozionante. E i lunghi tè del pomeriggio, con le focaccine e i biscotti e il pan pepato inzuppato...»

«Sta cercando, nella sua abile maniera, di ricordarmi che sarebbe ora di mangiare quelle famose bistecche?»

«No, non ci stavo pensando.»

«Bene, se non le mangiamo ora, credo che non saranno più commestibili. Venga.»

Fu un pranzo perfetto, consumato in circostanze perfette. Lui aprì persino una bottiglia di vino, rosso e forte, l'accompagnamento più adatto per le bistecche e il pane francese, e finimmo con formaggio e biscotti e una coppa colma di frutta fresca, dominata da un bel grappolo di uva bianca. Scoprii di avere una fame terribile e mangiai moltissimo, ripulendo il mio piatto con una bella crosta di pane. Poi mi misi a sbucciare un'arancia, così sugosa che sgocciolava sulle dita. Quando il pranzo fu davvero finito, David rientrò in casa per fare il caffè.

«Vogliamo prenderlo fuori?» domandò attraverso la porta aperta.

«Sì, la prego, giù accanto al fiume.» Entrai in casa per aiutarlo, e andai a mettere le mie dita appiccicose sotto l'acqua del rubinetto.

David disse: «Troverà un plaid nel cassettone all'ingresso. Lo prenda e si stenda nel prato e io porterò il caffè».

«E i piatti?»

«Lasciamoli stare... è una giornata troppo bella per perdere del tempo lavorando come schiavi al lavello.»

Era esattamente il tipo di osservazione che mio padre avrebbe fatto e questo mi fece molto piacere. Andai a cercare il plaid, lo trovai, lo portai in fondo al giardino e lo stesi in pieno sole, a pochi metri dal bordo dell'acqua. Dopo la lunga estate asciutta, il Caple era basso: c'era un piccolo banco di ciottoli, una sorta di spiaggetta in miniatura fra l'erba e l'acqua scura e profonda.

Il melo era carico di frutti e ai suoi piedi giacevano quelli già caduti. Andai a scrollarlo e altre mele caddero con piccoli tonfi nell'erba. Sotto l'albero c'era una bella zona d'ombra, fresca, piacevolmente odorosa di muschio, un profumo da vecchia soffitta. Mi appoggiai al tronco a osservare attraverso l'intrico fitto dei rami il fiume che scorreva in pieno sole. C'era una gran pace.

Rasserenata, confortata dal buon cibo e dalla piacevole compagnia, sentii il mio morale risollevarsi e mi dissi con slancio che quello era il momento adatto per cominciare a ragionare con buon senso sui miei timori a malapena affrontati. Che senso aveva lasciare che mi si agitassero in fondo alla mente, fastidiosi come un dente cariato, dandomi continuamente una sensazione di dolore alla bocca dello stomaco?

Avrei cercato di pensare a Sinclair in maniera più realistica. Non c'era ragione per immaginare che non avrebbe accettato di assumersi le responsabilità per il bambino che Tessa Faraday stava per avere. Quando fosse ritornato a Elvie, il lunedì, probabilmente ci avrebbe comunicato che intendeva sposarsi e la nonna ne sarebbe stata felice (non aveva detto che la ragazza le piaceva?) e anch'io sarei stata felice e non avrei mai più detto una sola parola di quel colloquio telefonico udito nella notte.

E in quanto a Gibson, stava *davvero* diventando vecchio, non lo si poteva negare, e forse sarebbe stata una buona cosa per tutti se fosse andato in pensione. Ma se non aveva un posto dove andare, certo la nonna e Sinclair avrebbero potuto trovargli un piccolo cottage, magari con un pezzetto di giardino, dove potesse farsi il suo orticello e tenere anche delle galline, in modo da mantenersi occupato e contento.

In quanto a me... Questo non era altrettanto facile da minimizzare. Avrei voluto sapere perché il giorno precedente Sinclair avesse tirato fuori quell'idea del matrimonio. Forse era stato solo per divertimento, per far passare quella mezz'ora dopo il picnic. Come tale sarei anche stata disposta ad accettarla, ma il suo bacio non era stato da cugino e neppure spensierato, un impulso leggero... solo ricordarlo mi metteva a disagio ed era per questo che mi sentivo così terribilmente confusa. Forse lo aveva fatto con intenzione, per sconvolgermi. Aveva sempre avuto il vizio di fare scherzi maligni. O forse voleva semplicemente misurare le mie reazioni...

«Jane.»

«Uhm?» Mi girai e vidi David Stewart che mi fissava in pieno sole, dietro l'ombra frastagliata del melo. Dietro di lui, sulla coperta distesa, il vassoio del caffè. Mi resi conto che doveva aver pronunciato anche prima il mio nome e io non lo avevo sentito. Chinò la testa sotto i rami più bassi e venne a trovarsi proprio di fronte a me, allungando una mano per appoggiarsi al tronco.

«Qualcosa non va?» domandò.

«Perché me lo chiede?»

«Ha l'aria preoccupata. Ed è anche molto pallida.»

«Sono sempre pallida.»

«E anche sempre preoccupata?»

«Non ho detto di essere preoccupata.»

«È... accaduto qualcosa ieri?»

«Che cosa intende dire?»

«Mi è sembrato soltanto che non volesse parlarne.»

«Non è accaduto nulla...» In quel momento desiderai di potermi allontanare, lasciarlo, ma aveva posato il suo braccio sulla mia spalla e non avrei potuto sottrarmi se non abbassandomi e scappando via. Lui si volse a guardarmi con la coda dell'occhio e sotto quello sguardo così familiare ormai, così imbarazzante, sentii il calore salirmi sul collo, sul viso.

«Una volta lei mi disse» continuò lui con un sorriso «che quando dice una bugia, arrossisce. Vuol dire che qualcosa non va...»

«No, non è così. E comunque, non è nulla...»

«Se lei desiderasse parlarmene lo farebbe, vero? Forse la potrei aiutare.»

Pensai alla ragazza a Londra, a Gibson... e a me stessa e tutte le mie ansie, le mie paure ritornarono. «Nessuno mi può aiutare» dissi. «Nessuno può farci nulla.»

Lui non replicò. Tornammo al sole e scoprii di aver freddo, avevo la pelle d'oca. Sedetti sul plaid caldo e bevvi il caffè e David mi diede una sigaretta, per tener lontani i moscerini. Dopo un po' mi stesi, la testa su un cuscino. Ero stanca e il vino mi aveva intontita. Chiusi gli occhi e con il rumore dell'acqua che scorreva vicino mi addormentai.

Mi svegliai circa un'ora dopo. David era steso nell'erba un metro più in là, stava appoggiato su un gomito e leggeva il giornale. Mi stirai e sbadigliai e lui alzò gli occhi. Dissi: «È la seconda volta che succede».

«Che cosa succede?»

«Di svegliarmi e trovarla accanto a me.»

«Avevo intenzione di svegliarla fra qualche minuto. Svegliarla e riportarla a casa.»

«Che ore sono?»

«Le tre e mezzo.»

Lo guardai con occhi assonnati. «Viene a Elvie per il tè? La nonna sarebbe molto contenta di rivederla.»

«Verrei con piacere, ma devo andare a trovare un vecchio signore che abita lontano. Di tanto in tanto si mette in agitazione per il suo testamento e devo andare a rassicurarlo.»

«Assomiglia un po' al tempo scozzese, non è vero?»

«Che cosa intende dire?»

«Una settimana se ne sta a New York, facendo Dio sa che cosa. Una settimana dopo se ne va su per qualche remota valletta per mettere il cuore in pace a un vecchietto. Le piace fare l'avvocato di campagna?»

«Per la verità sì, mi piace.»

«È così ben inserito in questa vita. Voglio dire... come se avesse trascorso qui tutta la sua esistenza. E la casa e tutto il resto... e il giardino. Tutto combina alla perfezione, come se qualcuno avesse intonato ogni cosa.»

«Anche lei è intonata» disse David.

Avrei tanto voluto che si soffermasse su questo e per un attimo pensai che lo avrebbe fatto, ma poi parve cambiare idea e si alzò, raccolse le tazze del caffè, il giornale e riportò tutto in casa. Quando tornò io ero ancora stesa nell'erba, fissando il fiume e lui mi fu davanti, mi passò le mani sotto le spalle e mi rimise in piedi. Mi girai e mi trovai chiusa nel cerchio delle sue braccia. Mormorai: «Anche questo è già accaduto un'altra volta».

«Solo che allora» disse David «aveva la faccia tutta gonfia e arrossata dal pianto e oggi...»

«Oggi che cosa...»

Rise. «Oggi ha raccolto almeno un centinaio di lentiggini in più. E una quantità di foglie di melo e di erba nei capelli.»

Mi riportò a casa in macchina. Aveva abbassato la capote e i capelli mi svolazzavano sul viso; David trovò nel cassettino del cruscotto un vecchio foulard di seta e me lo diede per coprirmi la testa.

Quando arrivammo all'altezza dei lavori stradali, il semaforo era rosso, così aspettammo, il motore dell'automobile ridotto a un tenue mormorio, e restammo a osservare il traffico che veniva in senso inverso, le auto che passavano in fila indiana nel solco ristretto.

«Non posso fare a meno di pensare» disse David «che, invece di raddrizzare questo pezzetto di strada, sarebbe stato molto meglio demolire il ponte e costruirne uno nuovo... o per lo meno fare qualcosa per migliorare quella curva infernale dall'altra parte.»

«Ma il ponte è così bello...»

«È pericoloso, Jane.»

«Ma tutti lo sanno e lo attraversano a passo d'uomo.»

«Non tutti lo sanno» mi corresse lui seccamente. «D'estate un automobilista su due è un turista.»

Il semaforo diventò verde e ci avviammo, oltrepassando un enorme cartello che portava la scritta RAMPA. Mi passò per la testa un pensiero buffo. «David, lei ha infranto la legge.»

«Perché?»

«Il cartello diceva RAMPA... E lei non si è arrampicato.»

Ci fu un lungo silenzio e pensai: "Oh, Dio!", che è ciò che penso sempre quando credo di fare una battuta e l'altro non la trova spiritosa.

«Non so come si fa» rispose lui alla fine.

«Vuol dire che non glielo hanno mai insegnato?»

«Mia madre era una povera vedova. Non poteva permettersi lezioni private.»

«Ma tutti dovrebbero essere capaci di arrampicarsi, è una delle qualità sociali più richieste.»

«Bene» fece David portando in salvo la macchina oltre il ponte a schiena di mulo «per amor suo farò del mio meglio per imparare» e con questo abbassò il piede sull'accelleratore e mi portò fino a Elvie, con il vento che mi fischiava nelle orecchie.

Più tardi mostrai alla nonna il mio unico acquisto, il maglione blu scuro che avevo comprato dall'armaiolo.

«Trovo» mi disse «che tu sia stata molto brava soltanto per il fatto di trovare qualcosa a Caple Bridge. E ha davvero l'aria di essere molto caldo» aggiunse con gentilezza, gettando un'occhiata a quell'indumento informe. «Con che cosa pensi di portarlo?»

«Con i calzoni... penso, qualunque cosa. Per la verità volevo comprare una gonna, ma non sono riuscita a trovare nulla di decente.»

«Che tipo di gonna?»

«Qualcosa di caldo... forse la prossima volta che vai a Inverness...»

«Che ne pensi di un kilt?» domandò la nonna.

Non ci avevo davvero pensato. Mi parve un'idea splendida. Il kilt è la cosa più simpatica che ci sia e i colori sono sempre deliziosi. «Dove pensi che possa comprare un kilt?»

«Oh, mia cara, non hai davvero bisogno di comprarlo. Ne abbiamo la casa piena. Sinclair ha portato il kilt fin da quando ha cominciato a camminare e non uno solo è stato gettato via.»

Avevo dimenticato una fortunata circostanza, e cioè che il kilt è unisex, a differenza della bicicletta. «Ma è un'idea meravigliosa! Perché non ci abbiamo pensato prima? Vado subito a vederli. Dove sono? In solaio?»

«Niente affatto. Sono nella stanza di Sinclair, nello scaffale più alto del suo armadio. Li ho messi tutti via nella naftalina, ma se ne vuoi uno, possiamo metterlo un po' all'aria e lo troverai come nuovo.»

Non volevo perdere tempo e andai subito alla ricerca del kilt. La camera di Sinclair, abbandonata per il momento dal suo occupante, era stata spazzata e ripulita ed era linda e ordinata. Rammentai che un innato senso dell'ordine e della pulizia era sempre stato un aspetto particolare del suo carattere. Da bambino non poteva soffrire il disordine e si preoccupava sempre di ripiegare da solo i suoi abiti o riporre i suoi giocattoli.

Presi una sedia e mi accostai al suo armadio, che era stato inserito in una rientranza del muro a lato del caminetto; lo spazio sopra l'armadio che conteneva i vestiti era stato utilizzato come un secondo armadio, dove si riponevano le valigie e gli abiti fuori stagione. Montai in cima alla sedia, aprii gli sportelli e vidi una fila di libri ben allineati, un pacco di riviste automobilistiche, una racchetta da squash, un paio di pinne da nuoto. Un intenso odore di canfora veniva da uno scatolone legato con molti nastri; mi protesi per prenderlo e tirarlo giù. Era pesante e difficile da rimuovere e, mentre lottavo per tirarlo fuori, colpii con il gomito la pila dei libri e, con entrambe le mani occupate, non potei far nulla per evitare che alcuni di essi cadessero. Restai così in cima alla sedia, udendoli precipitare sul pavimento in un terribile disordine.

Imprecai, afferrai con mani ben ferme il mio scatolone per portarlo giù, lo deposi finalmente sul letto e poi mi chinai per raccogliere i volumi. Erano per lo più libri di scuola, un'enciclopedia, *Le Petite Larousse,* una vita di Michelangelo e, da ultimo...

Era un volume grosso, pesante, rilegato in cuoio scarlatto, decorato in copertina con uno stemma d'oro, il titolo in lettere dorate sul dorso di pelle rossa *Storia della Terra e della Natura animata,* volumi I e II.

Quel libro io lo conoscevo. Avevo sei anni quando

mio padre lo aveva portato a casa, a Elvie, dopo una delle sue affannose incursioni nel negozio del signor McFee, che vendeva libri di seconda mano a Caple Bridge. Il signor McFee era morto da molti anni e il negozio era diventato proprietà di un tabaccaio, ma a quei tempi mio padre aveva trascorso molte ore interessanti discutendo con il signor McFee, un allegro tipo eccentrico che non aveva noiosi pregiudizi in fatto di polvere e pulizia, e frugando in interminabili scaffali di volumi odorosi di muffa.

Papà aveva trovato la *Natura animata* di Goldsmith per puro caso e l'aveva portato a casa tutto trionfante, non solo perché si trattava di un volume raro, ma anche perché qualche precedente nobile possessore lo aveva fatto rilegare a proprie spese, facendone un oggetto prezioso. Felice del suo acquisto, desideroso di dividere con noi il suo piacere, papà lo aveva portato per prima cosa nella stanza dei bambini per mostrarlo a Sinclair e a me. Molto probabilmente la mia reazione doveva averlo deluso. Avevo carezzato quella bella copertina di cuoio, guardato una o due illustrazioni di elefanti asiatici e poi ero tornata al mio puzzle.

Ma con Sinclair le cose erano andate diversamente. Sinclair si era entusiasmato per tutto, la vecchia stampa, le pagine spesse, le acquetinte, ogni particolare dei più piccoli disegni. Gli piaceva l'odore della carta vecchia, la carta marmorizzata dei risguardi, addirittura il peso di quell'antico librone.

L'aggiunta di un pezzo così nobile alla collezione di mio padre pareva meritare una sorta di cerimoniale. Così egli andò a prendere una delle sue etichette Ex Libris, con un'incisione che portava le sue iniziali intrecciate con ogni sorta di fogliame decorativo, e l'aveva solennemente applicata al retrocopertina marmorizzato del libro di Goldsmith. Sinclair e io avevamo assistito all'operazione in perfetto silenzio e quando fu finita io trassi un gran sospiro di soddisfazione, perché era stata portata a termine con grande sapienza e perché dimostrava che ora, al di là di ogni possibile dubbio, il libro apparteneva a mio padre.

In seguito il volume fu portato al piano terra e lasciato sul tavolo del salotto, insieme a giornali e riviste, dove tutti lo potessero ammirare e sfogliare quando entravano. Non se ne parlò più fino a due o tre giorni più tardi, quando papà si accorse che il libro era sparito.

Nessuno si preoccupò eccessivamente della cosa. *La Natura animata* di Goldsmith era stata probabilmente spostata o presa da qualcuno di casa che voleva leggerla e aveva dimenticato di rimetterla a posto. Ma in verità nessuno aveva preso il libro. Papà cominciò a interrogare tutti, ma non ebbe che dinieghi. La nonna fece diligenti ricerche, ma il libro non ricomparve.

Naturalmente anche Sinclair e io fummo interrogati. Avevamo visto il libro? No, non lo avevamo visto, lo dicemmo e la nostra innocenza non venne mai messa in dubbio. Mia madre cominciò a dire: «Forse un ladro...», ma la nonna respinse l'idea con un certo disprezzo. Che razza di ladro avrebbe potuto non vedere la bella argenteria georgiana di casa e andarsene soltanto con un vecchio libro? Insistette che la *Natura animata* di Goldsmith era semplicemente finita fuori posto e che la si sarebbe ben presto ritrovata. Come accade tanto spesso in queste cose, la misteriosa vicenda morì di morte naturale, nessuno ci pensò più, e il libro non fu mai ritrovato.

Fino a ora. In uno scaffale dell'armadio di Sinclair, ben allineato con altri suoi oggetti di cui non faceva uso regolare. Ed era sempre bello come un tempo, il bel cuoio rosso morbido al tocco, le lettere impresse in oro sempre scintillanti. Rimasi lì con il libro in mano, pesante come piombo, ricordai l'Ex Libris di papà e voltai la prima pagina. La carta marmorizzata e l'Ex Libris erano stati asportati con un attento lavoro, proprio fino alla rilegatura, probabilmente con una lametta da rasoio, e sulla pagina bianca del risguardo stava scritto nella bella calligrafia ferma e sicura di Sinclair, di un Sinclair di dodici anni:

Sinclair Bailey,
Elvie.
QUESTO È IL SUO LIBRO

9

Il bel tempo continuò. Il lunedì pomeriggio la nonna, armata di vanghetta e un paio di guanti da giardinaggio, uscì per andare a piantare dei bulbi. Mi offrii di aiutarla, ma lei declinò la mia offerta. Se fossi stata con lei, mi disse, non avremmo fatto altro che chiacchierare e non avremmo concluso niente. Avrebbe fatto più in fretta lavorando da sola. Dal momento che la mia offerta era stata respinta, fischiai per chiamare i cani e mi avviai per fare una passeggiata. Il giardinaggio, del resto, non è uno dei miei passatempi preferiti.

Camminai per miglia e restai fuori per due ore o più. Quando ritornai, lo splendore del giorno cominciava ad appannarsi e stava scendendo il freddo. Alcune nuvole si erano addensate sulle cime delle montagne, spinte dal vento del Nord, e sul lago si stava posando un velo di nebbia. Dal giardino, dietro il grande muro, là dove Will stava preparando un falò, già si levava, lieve come una piuma, un sottile filo di fumo azzurro e l'aria era colma dell'odore delle foglie che bruciavano. Le mani affondate nelle tasche e la mente protesa verso una buona tazza di tè accanto al fuoco, attraversai la strada statale e presi il viale orlato di faggi color rame. Uno dei cani cominciò ad abbaiare e alzai gli occhi. Parcheggiata davanti all'ingresso di casa c'era la Lotus Elan giallo scuro.

Sinclair era tornato. Guardai l'ora. Le cinque. Era arrivato presto. Attraversai il prato, affondando fino alle caviglie nelle foglie cadute. Quando fui sullo spiazzo davanti a casa, passando a fianco dell'automobile, sfiorai con la mano il paraurti lucente, quasi a rassicurarmi che l'auto fosse davvero lì. Entrai nel bel caldo del vestibolo che odorava di torba, aspettai i cani e richiusi la porta alle mie spalle.

Udii un mormorio di voci venire dal salotto. I cani andarono a bere dalle loro ciotole e poi si accucciarono davanti al caminetto. Mi tolsi l'impermeabile, levai le scarpe infangate, mi ravviai i capelli passandovi le dita e poi attraversai il vestibolo e aprii la porta del salotto. «Salve, Sinclair.»

Erano seduti ai lati del camino, con un tavolino da tè in mezzo a loro. Subito Sinclair si alzò e venne a salutarmi.

«Janey... dove sei stata?» Mi baciò.

«Ho fatto una passeggiata.»

«È quasi buio, pensavamo già che ti fossi perduta.»

Lo guardai in viso. Avevo pensato che lo avrei trovato diverso, visibilmente diverso. Più quieto, silenzioso; stanco, forse, per il lungo viaggio. Più pensieroso, gravato dal peso di nuove responsabilità. Ma era evidente che mi ero completamente sbagliata. Semmai appariva più allegro, più giovane, più spensierato di prima. C'era quella sera nei suoi occhi uno scintillio, una luce di eccitazione quasi, come lo sguardo di un bimbo alla vigilia di Natale.

Mi prese la mano. «Hai le mani ghiacciate. Vieni

vicino al fuoco e cerca di scaldarti. Ho serbato un toast per te, ma sono sicuro che se ne vuoi altri la signora Lumley te li preparerà.»

«No, va bene così.» Attirai verso di me uno sgabellino di pelle e sedetti fra loro. La nonna mi versò una tazza di tè. «Dove sei stata?» mi domandò, e io glielo dissi. «Hai dato da bere ai cani? Si sono molto infangati? Li hai asciugati?» La rassicurai. Avevano bevuto, non si erano sporcati, non c'era bisogno di asciugarli. «Non siamo stati nel bagnato e li ho ben ripuliti dall'erica prima di entrare in casa.» Lei mi porse la tazza e io vi strinsi intorno le mani fredde per scaldarmi. Guardai Sinclair.

«Com'era Londra?»

«Calda e noiosa.» Fece un gran sorriso, gli occhi brillanti di divertimento. «Piena di uomini d'affari completamente esausti nei loro abiti invernali.»

«Hai potuto... portare a termine ciò che dovevi fare?»

«Che espressione pomposa. Portare a termine. Dove l'hai imparata?»

«Be', ci sei riuscito?»

«Sì, naturalmente, non sarei qui altrimenti.»

«Quando... quando sei partito da Londra?»

«Questa mattina presto... verso le sei... Nonna, c'è dell'altro tè nella teiera?»

Lei sollevò la teiera, tolse il coperchio per guardare. «No, veramente, non ce n'è più. Vado a farne dell'altro.»

«Chiama la signora Lumley...»

«No, ha i piedi doloranti. Lo faccio io. Devo comunque parlarle per la cena, bisognerà mettere un altro fagiano nel pasticcio.»

Quando fu uscita, Sinclair disse: «Delizioso il pasticcio di fagiano». Prese il mio polso fra le dita chiudendolo come un bracciale. Il tocco delle sue dita era freddo e leggero. «Ti devo parlare.»

C'eravamo, dunque. «A che proposito?»

«Non qui. Devo averti solo per me. Ho pensato che dopo il tè potremmo uscire con la macchina. Andiamo fino in cima al Bengairn a vedere levarsi la luna. Vuoi venire?»

Se voleva parlarmi in privato di Tessa, immagino che l'interno della Lotus fosse un posto adatto quanto un altro. «Va bene» risposi.

Viaggiare a bordo della Lotus era per me un'esperienza nuova. Costretta dalla cintura di sicurezza sul fondo del sedile incassato, mi sentivo in procinto di andare sulla Luna, e la velocità con cui Sinclair partì non modificò questa sensazione. Risalimmo il sentiero rombando. Ci arrestammo un attimo all'inizio della strada statale e poi ci immettemmo nel traffico; la lancetta del tachimetro salì vertiginosamente nel giro di pochi secondi, i campi, le siepi, tutti i segni noti e familiari volarono via e si persero nell'oscurità dietro di noi con una rapidità da capogiro.

«Guidi sempre così veloce?» domandai.

«Tesoro, ma questa non è velocità.»

Non replicai. In quello che mi parve un secondo fummo al vecchio ponte a schiena di mulo, rallentò appena e fummo dall'altra parte – lasciandomi con lo stomaco che mi pareva sospeso sopra la testa – e ci rovesciammo a tutta velocità verso il tratto di strada dove c'erano i lavori in corso. Il semaforo era verde e Sinclair accelerò, così che ci trovammo al di là del cantiere, e molto più avanti ancora, prima che il semaforo cambiasse colore.

Raggiungemmo Caple Bridge e il limite di velocità consentito. Per deferenza verso la polizia locale, e con mio grande sollievo, Sinclair scalò la marcia e rallentò e la Lotus attraversò l'abitato a velocità regolamentare, ma non appena l'ultima casa fu alle nostre spalle egli premette di nuovo sull'acceleratore. Ora non c'era traffico. La strada piegava davanti a noi con un'ampia curva e l'automobile scattò, come un cavallo cui si allenta la briglia.

Arrivammo alla svolta, dove la strada secondaria che porta verso sud sale in una successione di curve ripide, per arrivare fino alla cima di Bengairn. Campi e fattorie scivolavano via accanto a noi; con uno stridio di pneumatici traversammo il recinto del bestiame e ci trovammo nella brughiera. L'erba scossa dal vento, macchiata di erica, era calpestata soltanto da greggi di pecore col muso nero che non parvero interessarsi a noi. L'aria fresca che entrava dal finestrino aperto odorava forte di torba; davanti a noi c'erano banchi di nebbia. Ma prima di arrivarvi, Sinclair guidò la Lotus verso una piazzola e spense il motore.

La vista si stendeva, splendida: la valle silenziosa sotto un cielo turchese pallido, più verde che azzurro, bagnato a occidente dal rosa intenso del tramonto. Sotto, molto lontano, il *loch* di Elvie. Il nostro lago giaceva immobile, scintillante come un gioiello, e il Caple con la sua corrente era un tortuoso nastro argenteo. C'era un gran silenzio; solo il vento sfiorava l'automobile e nell'aria si perdeva il grido dei chiurli.

Al mio fianco Sinclair slacciò la cintura di sicurezza e poi, vedendo che non mi muovevo, si chinò a slacciare la mia. Allora mi voltai a guardarlo e lui, senza dire una parola, prese il mio viso fra le mani guantate e mi baciò. Lo respinsi dolcemente. Dissi: «Volevi parlarmi, ricordi?».

Lui sorrise, per nulla contrariato, si sollevò per cercare qualcosa in tasca. «Ho una cosa per te...» Ne trasse un minuscolo astuccio e lo aprì e parve che tutto il cielo si riflettesse nello scintillio dei brillanti.

Mi sentii come se stessi rotolando a testa in giù lungo una parete ripida, in una sorta di incredibile capriola, e quando mi arrestai mi girava la testa, ero intontita. Ritrovata la parola, potei dire soltanto: «Ma Sinclair, questo non è per *me*».

«Sicuro che è per te. Ecco...» Tolse l'anello dall'astuccio, che gettò incurante sul ripiano del cruscotto, e prima che potessi fermarlo mi aveva preso la mano sinistra e me lo aveva infilato all'anulare. Tentai di sfilarlo, ma egli mi tenne stretta la mano, la chiuse a pugno e strinse le dita sopra l'anello, tanto che i brillanti mi premettero nella carne, mi fecero male.

«Ma non può essere per me...»

«Proprio per te. Soltanto per te.»

«Sinclair, dobbiamo parlare.»

«Per questo ti ho portato quassù.»

«No, non di questo. Di Tessa Faraday.»

Se avevo pensato di spaventarlo, mi ero sbagliata. «Che cosa sai di Tessa Faraday?» Aveva un tono indulgente, niente affatto sconvolto.

«So che aspetta un bambino. Il tuo bambino.»

«E come lo hai scoperto?»

«Perché la sera in cui lei ha chiamato, anch'io ho sentito squillare il telefono e sono andata a rispondere all'apparecchio di sopra, ma nel frattempo tu avevi già risposto dalla biblioteca. Così la sentii... che ti diceva...»

«Ah, così eri tu?» Pareva quasi sollevato, come se un piccolo dilemma si fosse risolto. «Mi era sembrato di sentire che l'altra linea venisse interrotta. Sei stata davvero discreta a non ascoltare la conversazione fino alla fine.»

«Ma che cosa hai intenzione di fare con lei?»

«Fare? Niente.»

«Ma quella ragazza aspetta un figlio da te.»

«Janey, tesoro, non siamo affatto sicuri che sia mio.»

«Ma *potrebbe* essere tuo.»

«Oh, certo, potrebbe. Ma questo non significa che lo sia. E io non penso davvero di assumermi la responsabilità per la negligenza di un altro.»

Pensai a Tessa Faraday e all'immagine che mi ero fatta di lei. La ragazza allegra e graziosa, sorridente nell'abbraccio di Sinclair. La campionessa di sci al colmo del successo, con il mondo ai suoi piedi. La giovane donna che, a pranzo al Connaught con la nonna, aveva ottenuto la sua approvazione, la sua ammirazione. «Una ragazza così deliziosa» aveva detto la nonna, e raramente si sbagliava nel giudicare le persone. Nulla di tutto questo legava con l'impressione che Sinclair tentava di darmi di Tessa.

Cauta domandai: «Le hai detto questo?».

«Con un gran giro di parole, sì, gliel'ho detto.»

«E lei che cosa ha risposto?»

Lui alzò le spalle con leggerezza. «Ha detto che se questi erano i miei sentimenti, avrebbe cercato un'altra soluzione.»

«E tu hai lasciato che finisse così?»

«Sì. Abbiamo lasciato che finisse così. Non essere troppo ingenua, Jane. Tessa è una ragazza che sa stare al mondo, è una ragazza di buon senso.» Per tutto quel tempo non aveva lasciato la presa sulla mia mano, ma in quel momento la allentò e potei allungare le dita contratte. Lui prese l'anello fra il pollice e l'indice e lo rigirò un po' intorno al mio dito, come se volesse avvitarlo. «Comunque» continuò «le ho detto che avevo intenzione di sposare te.»

«Tu le hai detto che cosa?»

«Oh, tesoro, ascoltami. Le ho detto che avevo intenzione di sposare te...»

«Ma non avevi alcun diritto di dire questo... non mi hai neppure chiesto se voglio sposarti.»

«Ma certo che te l'ho chiesto. Di che cosa credi che stessimo parlando l'altro giorno? Che cosa credi stessi facendo?»

«Stavi recitando.»

«Be', non è così. E, ciò che più conta, tu sapevi che non recitavo.»

«Tu non sei innamorato di me.»

«Ma ti voglio bene.» Detta così, sembrava una cosa del tutto ragionevole. «E stare con te, averti di nuovo qui a Elvie, è la cosa più bella che mi sia mai capitata. C'è in te una tale freschezza, Janey. Un momento ti comporti con l'ingenuità di una bambina, e il momento dopo sembri avere una saggezza sbalorditiva. Inoltre riesci a farmi ridere e ti trovo deliziosamente attraente. E poi mi conosci quasi più di quanto io conosca me stesso. Tutto questo non ti pare molto meglio di un semplice innamoramento?»

«Ma se sposi qualcuno, è per sempre» dissi.

«E allora?»

«Devi pur essere stato innamorato di Tessa Faraday, e ora non vuoi più saperne di lei...»

«Janey, quella era una cosa completamente diversa.»

«Diversa come? Io non vedo questa gran differenza.»

«Tessa è seducente e divertente ed è molto piacevole stare insieme a lei. Sono stato felicissimo di stare con lei... ma per tutta una vita... no.»

«Lei però questo figlio lo avrà per il resto della vita.»

«Te l'ho già detto, quasi certamente non è mio.»

Era evidente che da questo punto di vista lui si giudicava invulnerabile. Tentai un'altra tattica. «Supponiamo, Sinclair, dico soltanto supponiamo, che io non voglia sposarti. Come ti ho detto l'altro giorno, siamo cugini primi...»

«È già accaduto altre volte...»

«Siamo troppo vicini, troppo parenti... io non vorrei rischiare.»

«Ti amo» disse Sinclair. Era la prima volta che mi sentivo dire quelle parole. Nelle fantasticherie dell'adolescenza avevo spesso immaginato che accadesse. Ma non così... mai.

«Ma... ma io non ti amo...»

Sorrise. «Dalla voce non ne sembri tanto sicura.»

«Ma lo sono. Sicurissima.»

«Neppure quel tanto che basta per... aiutarmi?»

«Oh, Sinclair, ma tu non hai bisogno di aiuto.»

«È qui che ti sbagli. Ne ho bisogno. Se tu non mi sposi, il mio mondo andrà completamente in frantumi.»

Erano parole di un innamorato, e tuttavia non credevo che fossero dettate dall'amore.

«Intendi materialmente, vero?»

«Come sai essere intuitiva, Janey. Sì, è così.»

«Perché?»

D'improvviso si spazientì, lasciò cadere la mia mano come se ne fosse annoiato e si mise a cercare una sigaretta. Ne teneva un pacchetto nella tasca del cappotto. Ne prese una, l'accese con l'accendino del cruscotto. «Oh, perché...» disse alla fine.

Dopo un momento insistetti: «Perché?».

Respirò profondamente. «Perché sono pieno di debiti fin sopra i capelli. Perché devo trovare il denaro per pagarli o avere la sicurezza di poter ottenere un prestito e non ho né l'una né l'altra cosa. E se questo si scopre, niente di più facile, ho la certezza che il mio direttore mi manderà a chiamare per informarmi, con sommo dispiacere, che la ditta se la caverà benissimo anche senza i miei servigi, grazie e addio.»

«Vuoi dire che rischi di perdere il posto?»

«Non solo intuitiva, ma anche svelta di comprendonio.»

«Ma... come hai fatto a coprirti di debiti?»

«Come credi che si faccia? Puntando sui cavalli, giocando a carte...»

Detta così pareva una cosa innocente. «Per che somma?»

Me lo disse. Non avrei mai creduto che qualcuno potesse disporre di una simile somma di denaro, tanto meno possederla. «Ma devi essere uscito di senno. Vuoi dire che soltanto giocando a carte...»

«Oh, per l'amor del cielo, Jane, nei club di Londra dove si gioca, una somma così la puoi perdere in una sola serata. E io ci ho messo quasi due anni.»

Mi ci volle qualche minuto per accettare il fatto che un qualsiasi individuo potesse essere tanto pazzo. Avevo sempre pensato che mio padre avesse un rapporto del tutto irrealistico nei confronti del denaro, ma questo...

«Non potrebbe aiutarti la nonna? Farti un prestito?»

«Lo ha già fatto altre volte... senza molto entusiasmo, vorrei aggiungere.»

«Vuoi dire che non è la prima volta?»

«No, non è la prima volta, e puoi anche toglierti dalla faccia quell'espressione così scioccata. Inoltre la nonna non dispone di tanto denaro in contanti.

in cash

Appartiene a quella generazione che crede nell'investimento dei suoi capitali, e il suo denaro è tutto in fondi, azioni e terreni.»

Terreni. Senza riflettere dissi: «Non si potrebbe vendere un po' di terreno, allora? La... brughiera, per esempio?».

Sinclair mi gettò un'occhiata in tralice, con un'espressione di riluttante rispetto. «A questo avevo già pensato. Ho persino raccolto un gruppo di americani che sarebbero più che felici di comprare la brughiera o, al limite, di affittarla per una congrua cifra annuale. Per essere sincero, Janey, è proprio per questo che mi ero preso questi giorni di permesso, per venire qui e sottoporre alla nonna l'idea. Ma naturalmente, lei non ne vuole sapere... per quanto non riesca a immaginarmi quali possibili vantaggi possa ricavarne a tenerla così com'è.»

«Ma è già affittata...»

«Per quattro soldi bucati. L'affitto che il piccolo gruppo locale paga non copre neppure le spese delle cartucce di Gibson.»

«E Gibson?»

«Oh, al diavolo Gibson. Lui ha comunque fatto il suo tempo. Buono soltanto per essere messo in pensione.»

Restammo di nuovo in silenzio. Sinclair sedeva al suo posto fumando e io, accanto a lui, tentavo freneticamente di mettere un po' di ordine in una ridda di pensieri. Mi rendevo conto che ciò che più mi sbalordiva non era tanto la sua durezza, la sua totale assenza di sentimenti – questo lo avevo già sospettato – e neppure che si fosse cacciato in un tale guaio; ma che avesse potuto parlarmi con tanta franchezza. O aveva abbandonato l'idea di sposarmi, e quindi non aveva più niente da perdere, oppure la sua presunzione, la sua sicurezza di sé oltrepassava ogni limite.

Stavo cominciando ad arrabbiarmi. Mi capita di rado di perdere le staffe e di solito ci arrivo lentamente, ma quando mi accade divento davvero imprevedibile. Consapevole di questo, e quindi preoccupata di non permettere che accadesse, mi sforzai deliberatamente di mettere a tacere i miei sentimenti e di concentrare le mie energie nel rimanere fredda, guardando al lato pratico della questione.

«Non vedo perché questo dovrebbe essere una decisione soltanto della nonna e non anche tua. Dopotutto, un giorno, Elvie ti apparterrà. Se tu vuoi venderne un pezzo ora, penso che non dovrebbero esserci difficoltà.»

«Che cosa ti fa pensare che Elvie debba un giorno essere mio?»

«Certo che lo sarà. Tu sei suo nipote. Non c'è nessun altro.»

«Parli come se la proprietà venisse di diritto, come se fosse stata trasmessa da generazioni, di padre in figlio. Ma non è così. Non è affatto così. Appartiene alla nonna, perché è lei che l'ha comprata, e se lo volesse potrebbe anche lasciarla all'ospizio dei gatti.»

«Ma perché non a te?»

«Perché, tesoro mio, io sono il figlio di mio padre.»

«E questo che cosa significa?»

«Significa che io sono un buono a nulla, un disgraziato, una pecora nera. Un vero Bailey, se preferisci.» Lo fissavo quasi senza vederlo e d'un tratto lui scoppiò a ridere. Ma non era un suono piacevole. «Nessuno ti ha mai parlato, piccola Jane innocente, di tuo zio Aylwyn? Tuo padre non ti ha raccontato niente?»

Scossi la testa.

«Io lo venni a sapere quando compii i diciotto anni... una specie di indesiderato regalo di compleanno. Vedi, Aylwyn Bailey non era soltanto un uomo disonesto, ma anche un incapace. Degli anni che trascorse in Canada, cinque li passò in prigione. Per frode, malversazioni e Dio solo sa che altro. Non ti è mai sembrato che tutta la situazione fosse poco naturale? Niente visite. Pochissime lettere. Non una sola fotografia in tutta la casa?»

D'un tratto tutto mi apparve così ovvio che mi chiesi come non fossi mai arrivata da sola alla verità. E ripensai alla conversazione che avevo avuto con la nonna solo pochi giorni prima e alle scarne notizie che mi aveva dato di suo figlio. "Decise di vivere in Canada e alla fine di morire laggiù. Elvie non aveva mai significato molto per Aylwyn... Aveva lo stesso aspetto di Sinclair. Ed era molto affascinante."

Stupidamente dissi: «Ma perché non tornò mai a casa?».

«Immagino che sia stato uno di quegli uomini che stanno bene all'estero... probabilmente la nonna pensava che fosse meglio per me non cadere sotto la sua influenza.» Premette il pulsante che abbassava il cristallo del finestrino e gettò fuori la sigaretta fumata a metà. «Ma da come sono andate le cose, immagino che non avrebbe fatto molta differenza. Io ho comunque ereditato il male di famiglia.» Mi sorrise. «E il male che non si può curare bisogna sopportarlo.»

«Vuoi dire che tutti gli altri lo devono sopportare.»

«Oh, andiamo, Jane, non è facile neppure per me.

Sai, è molto strano quello che hai detto – che Elvie alla fine debba venire a me –, perché l'altra sera, quando abbiamo discusso della vendita della brughiera e di che cosa fare di Gibson, quello era proprio l'ultimo asso che avevo nella manica. "Un giorno Elvie sarà mio. Presto o tardi, sarà mio. Quindi, perché non dovrei essere in grado di decidere ora che cosa se ne può fare?"» Si volse di nuovo verso di me e mi sorrise... quel suo affascinante, disarmante sorriso. «E sai che cosa mi ha detto la nonna?»

«No.»

«Ha detto: "Ma Sinclair, è qui che tu sei in errore. Elvie non significa nulla per te, è solo una fonte di denaro. Tu ti sei creato una vita a Londra e non vorresti mai venire a vivere qui. Elvie andrà a Jane".»

Ed era qui che io entravo in gioco. Questo era il pezzo finale del puzzle e ora il quadro era completo.

«È per questo che mi vuoi sposare. Per mettere le mani su Elvie.»

«Mi sembra un po' brutale, messo in questi termini...»

«Brutale!»

«... ma immagino che si possa dire che questa era l'idea. Al di là di tutte le altre ragioni che ti ho già dato. Che sono vere, reali e totalmente sincere.»

Furono queste ultime parole che alla fine mi fecero perdere il controllo, come un ciottolo in bilico che prende a rotolare.

«Vere e reali e sincere. Sinclair, tu non conosci nemmeno il significato di queste parole e come puoi usarle... per dirmi queste cose...»

«Ti riferisci a mio padre?»

«No, non penso a tuo padre. Non me ne importa niente di tuo padre e non dovrebbe importare neppure a te. E non me ne importa niente di Elvie. Non lo voglio neppure, Elvie, e se la nonna intende lasciarlo a me, lo rifiuterò, lo brucerò, lo darò via, piuttosto di lasciare che tu ci metta sopra quelle tue avide mani.»

«Non sei molto caritatevole.»

«Non ho intenzione di essere caritatevole. Tu non meriti davvero carità. Sei ossessionato dal bisogno di possedere, lo sei sempre stato. Hai sempre voluto *avere* le cose... e quando non le potevi avere, te le prendevi, semplicemente. Trenini elettrici e barchette o mazze da cricket e fucili quando eri piccolo. E ora automobili di lusso e appartamento a Londra e denaro, denaro e ancora denaro. Tu non potrai mai essere soddisfatto. Persino se io facessi tutto ciò che tu vuoi da me, ti sposassi e mettessi Elvie nelle tue mani, casa e terra e tutto quanto, anche questo non ti basterebbe...»

«Manchi di senso realistico.»

«Non lo chiamerei così. Non è questo. È semplicemente questione di riconoscere delle priorità e sapere innanzitutto che le persone contano più delle cose.»

«Persone?»

«Sì, persone. Esseri umani, capisci, con sentimenti, affetti, emozioni e tutte quelle cose di cui tu sembri esserti dimenticato, se mai hai saputo che esistono. Persone come la nonna, e Gibson e quella ragazza, Tessa, che aspetta il tuo bambino... e non venirmi ora a dire che non è tuo figlio, perché lo so, e quel che è peggio, lo sai anche tu maledettamente bene che è tuo figlio. Ti sono servite fino a quando ne hai avuto bisogno, ora non ti servono più e puoi tranquillamente buttarle via.»

«Non te» disse Sinclair. «Non ti butto via. Ti prendo con me.»

«Oh, no, tu non lo farai.» L'anello era troppo stretto, sforzai per strapparlo; mi feci male alla nocca e riuscii a malapena a resistere alla tentazione di gettarglielo in faccia. Allungai la mano a prendere l'astuccio, premetti l'anello nel suo guscio di velluto, feci scattare il coperchio e lo gettai sul ripiano del cruscotto. «Avevi ragione quando dicevi che ci volevamo bene. È vero, e io ho sempre pensato che tu fossi la persona più straordinaria del mondo. Ma ora ti sei rivelato non solo spregevole, ma anche stupido. Devi essere completamente fuori di te per immaginare che io possa continuare a stare al tuo gioco come se nulla fosse accaduto. Devi davvero pensare che io sia una terribile stupida.»

Con mio grande orrore mi accorsi che la voce cominciava a tremarmi. Mi scostai da lui e restai al mio posto, invasa dal forte desiderio di trovarmi all'aperto o in una stanza immensa, dove poter gridare e gettare oggetti per terra e lasciarmi andare a un attacco isterico. Ma non avevo la possibilità di farlo. Ero bloccata dentro lo stretto abitacolo dell'auto di Sinclair e lì c'era davvero troppo poco spazio per il fermento delle nostre emozioni, troppo poco spazio anche solo per noi.

Lo udii sospirare accanto a me. Infine disse: «Chi avrebbe mai pensato che tu tornassi dall'America con un patrimonio di così elevati principi».

«L'America non c'entra per nulla. Si tratta semplicemente di me, di come sono, di come sono sempre stata.» Sentivo che gli angoli della bocca mi si ripiegavano all'ingiù e gli occhi mi si colmavano di lacrime. «E ora voglio andare a casa.»

Non c'era nulla da fare. Malgrado i miei sforzi cominciai a piangere sul serio. Mi frugai in tasca in cerca di un fazzoletto, ma naturalmente non lo trovai e alla fine dovetti accettare quello che Sinclair mi porgeva in silenzio.

Mi asciugai gli occhi, mi soffiai il naso e, per non so quale ridicola ragione, quei gesti così banali spezzarono la tensione che si era accumulata fra noi. Lui tolse di tasca un paio di sigarette, le accese e me ne porse una. La vita continuava. Mi accorsi che la luce si era andata spegnendo. La luna, non più nuova, ma sempre delicatamente incurvata, si stava levando a oriente, il suo chiarore appannato dalla nebbia che scendeva ora dalle cime delle montagne e veniva ad avvolgerci.

Mi soffiai di nuovo il naso. Dissi: «Che cosa farai?».

«Dio solo lo sa.»

«Forse potremmo parlare con David Stewart...»

«No.»

«O con mio padre. Non ha un particolare senso pratico, ma è molto, molto saggio. Potremmo telefonargli...»

«No.»

«Ma Sinclair...»

«Hai ragione» disse lui «è ora di andare a casa.» Allungò una mano verso la chiavetta dell'accensione. Il motore si avviò con un brontolio che crebbe a coprire ogni altro suono. «Ma ci fermeremo a bere qualcosa a Caple Bridge. Credo che entrambi ne abbiamo bisogno – io certamente –, e questo ti darà il tempo di ricomporti prima che ti veda la nonna.»

«Perché, cos'ho che non va?»

«Hai la faccia gonfia e arrossata. Proprio come quando avevi il morbillo. E ti fa sembrare una bambina piccola.»

10

In Scozia bere alcol, come andare ai funerali, è una prerogativa esclusivamente maschile. Personaggi femminili di qualsiasi tipo non sono ben accetti nei locali pubblici, e se un uomo fa l'errore di portare sua moglie o la sua amica in un bar, il meno che ci si aspetta da lui è che la intrattenga in un salottino in penombra, ben lontano dagli sguardi dei suoi amici intenti a far baldoria.

Il Crimond Arms di Caple Bridge non faceva eccezione a questa regola. Quella sera ci fecero accomodare in una stanza fredda e assai poco accogliente tappezzata di color arancione, con tavolini e seggiole di vimini, decorata con voli di anatroccoli di stucco sul soffitto e con qualche vaso con polverosi fiori di plastica. C'era un caminetto a gas, spento, grandi posacenere con il nome di una fabbrica di birra e un pianoforte verticale a muro. A un'ispezione più attenta, potei constatare che quest'ultimo era chiuso a chiave. Una vera sfida al rischio di divertirsi.

Depressa da quella stanza gelida e inospitale, dall'angoscia indefinibile che provavo per Sinclair, da tutto ciò che era accaduto, me ne restai lì sola, aspettando che lui tornasse. Quando alla fine arrivò, portava due bicchieri: un piccolo, pallido sherry per me e un grosso bicchiere di whisky per sé. Subito mi apostrofò: «Perché non hai acceso il fuoco?».

Pensando al pianoforte chiuso a chiave e alla generale aria di disapprovazione che spirava da quella stanza, risposi: «Non credevo si potesse».

«Sei ridicola» esclamò Sinclair. Prese un fiammifero e si inginocchiò per accendere il caminetto. Ci fu una piccola esplosione, un odore forte di gas, il bagliore di minuscole fiammelle e un raggio breve di calore mi si diffuse intorno alle ginocchia.

«Va meglio così?»

Non andava meglio, perché il freddo era dentro di me e non lo si poteva estinguere con una fiammella a gas. Ma dissi ugualmente di sì. Soddisfatto, Sinclair sedette in una poltroncina di vimini posata sul tappetino davanti al fuoco, si accese una sigaretta e alzò il bicchiere di whisky nella mia direzione.

«Guardo verso di te» esclamò.

Era un vecchio gioco che facevamo da bambini e doveva essere inteso come una bandiera bianca, un segno di tregua. A questo punto io avrei dovuto dire: «E io alzo il bicchiere», ma non lo dissi, perché non ero sicura che avrei potuto mai essergli di nuovo amica.

In seguito lui non parlò più. Io finii il mio sherry, posai il bicchiere vuoto e, visto che lui era solo a metà del suo, mi alzai e dissi che sarei andata alla toilette, con l'idea di aggiustare un po' il mio aspetto prima di tornare dalla nonna. Sinclair disse che mi avrebbe aspettato, così arrancai lungo un corridoio e su per una rampa di scale e trovai infine quel che cercavo, un ambiente non certo più accogliente e simpatico del salottino di sotto. Mi guardai allo specchio e vidi riflessa un'immagine davvero deprimente: la faccia gonfia e chiazzata di rosso e il mascara che mi colava dagli occhi. Mi lavai il viso e le mani nell'acqua fredda e trovai in fondo a una tasca un pettine con cui districare i miei capelli arruffati. Per tutto il tempo, mentre mi pettinavo, ebbi l'impressione di acconciare un cadavere, come nelle macabre storie che si sentono a proposito degli impresari di pompe funebri in America.

Mi ci volle un po' di tempo, ma quando ridiscesi trovai la squallida saletta di sotto vuota; udii però la voce di Sinclair dietro la porta che conduceva nel bar vero e proprio. Parlava con il barman e immaginai che avesse colto l'occasione per bere un secondo whisky, in un'atmosfera a lui più congeniale.

Non mi piaceva l'idea di star lì ad aspettarlo, così uscii e andai ad attendere in macchina. Cominciava a piovere e la piazza era bagnata, il selciato nero come un lago notturno, scintillante solo delle luci rossastre dei lampioni. Stavo rannicchiata al mio posto, tutta infreddolita, senza neppure l'energia sufficiente per cercare e accendere una sigaretta. Finalmente vidi la porta del Crimond Arms aprirsi e la sagoma scura di Sinclair mi apparve per un attimo contro la porta illuminata, poi la porta si richiuse e lui venne verso di me lungo la strada bagnata.

Aveva in mano un giornale.

Salì in macchina, sbatté la portiera e restò lì, immobile. C'era un forte odore di whisky e mi domandai quanto aveva avuto il tempo di berne mentre io ero di sopra a lavarmi il viso. Dopo un po', dal momento che non sembrava intenzionato a mettere in moto l'automobile, domandai: «Qualcosa non va?».

Non rispose. Sedeva al suo posto, la testa abbassata, le ciglia scure e folte contro il pallore degli zigomi.

D'improvviso mi sentii preoccupata. «Sinclair.»

Lui mi tese il giornale e vidi che era il quotidiano locale della sera, che aveva probabilmente preso uscendo dal bar. Alla luce dei lampioni lessi i titoli che parlavano dell'incidente di un autobus; c'era la fotografia di un consigliere comunale appena eletto, una colonna a proposito di una ragazza di Thrumbo che si era appena fatta onore in Nuova Zelanda...

E poi, in fondo, nell'angolo della pagina, poche righe.

MORTE DI UNA NOTISSIMA CAMPIONESSA DI SCI

Il corpo di Miss Tessa Faraday è stato trovato ieri mattina nel suo appartamento di Crawley Court, Londra, S.W.I. Miss Faraday, che aveva ventidue anni, aveva vinto il campionato femminile di sci dell'inverno scorso...

Le lettere stampate mi danzarono davanti, nuotarono e si persero. Chiusi gli occhi, come per scacciare l'orrore che si impadronì di me, ma il buio era ancora peggio e sapevo che non avrei potuto sfuggire ai miei stessi pensieri. "Ha detto che avrebbe cercato un'altra soluzione" mi aveva detto Sinclair. "È una ragazza che sa stare al mondo, una ragazza di buon senso."

Stupidamente dissi: «Ma si è uccisa...».

Aprii gli occhi. Lui non si era mosso. Udii la mia stessa voce che diceva: «Sapevi quali erano le altre soluzioni che lei intendeva cercare?».

Con voce spenta rispose: «Pensavo che intendesse liberarsene».

Improvvisamente seppi di aver capito molte cose.

Sapevo. Dissi: «Lei non avrebbe avuto paura di avere il bambino. Non era quel tipo di persona. Si è uccisa perché ha capito che tu non l'amavi più. Che tu intendevi sposare un'altra donna».

Lui si girò di colpo verso di me come una furia. «Sta' zitta, non dire una sola parola su di lei, hai capito? Non parlare di lei, non pronunciare una sola, un'unica parola su di lei. Tu non sai nulla di lei, quindi non far finta di saperla lunga. Tu non capisci, non potresti mai capire.»

E detto ciò accese il motore, levò il freno a mano e con un gran stridio di gomme sul selciato bagnato la Lotus partì attraverso la piazza, in direzione della strada che conduceva in campagna, verso Elvie.

Sinclair era ubriaco, o forse spaventato, scioccato oppure aveva il cuore a pezzi. O forse tutte queste cose insieme. Per lui non c'era più modo di pensare a leggi o divieti e neppure di far ricorso alla più elementare istintiva prudenza. Sinclair fuggiva, inseguito da mille demoni e la velocità era la sua unica difesa.

Passammo con fragore per le stradine strette della cittadina e come un razzo la macchina affondò nel buio dell'aperta campagna. La realtà diventò soltanto la strada davanti a noi, le righe bianche e i catarifrangenti che ci venivano incontro, si rovesciavano su di noi come un'unica luce che aveva perduto ogni contorno. Io non avevo mai conosciuto prima d'allora il senso fisico della paura, ma ora avevo i denti stretti fino a sentirne dolore e premevo un piede contro un freno immaginario con tanta forza che rischiavo veramente di distorcermi la spina dorsale. Oltrepassammo l'ultima curva e ci trovammo nella strada libera, proiettati verso la zona interessata dai lavori in corso. Il semaforo era verde e, per poter passare prima che cambiasse colore, Sinclair premette ancor di più sull'acceleratore. Balzammo in avanti più veloci che mai. Mi accorsi che stavo pregando: "Ti prego, fa' che diventi rosso ora. Fa' che diventi rosso".

E poi, negli ultimi cinquanta metri, il miracolo avvenne, il semaforo passò al rosso. Sinclair cominciò a frenare e in quel momento seppi che cosa dovevo fare. Con un tremendo stridore di gomme la Lotus gemette fino ad arrestarsi e, in preda a un tremito incontrollato, aprii lo sportello e mi scaraventai fuori.

«Che cosa fai?» mi gridò Sinclair.

Rimasi ferma nella pioggia e nel buio, catturata come una falena dalla luce dei fari, mentre il traffico in senso inverso si metteva in moto.

«Ho paura» risposi.

Lui replicò, con voce gentile: «Sali. Ti bagnerai tutta».

«Andrò a piedi.»

«Ma sono quattro miglia...»

«Voglio camminare.»

«Janey...» Si spinse oltre il mio posto, come per afferrarmi e trascinarmi nella vettura, ma io feci un salto indietro, fuori dalla sua portata.

«Perché?» domandò.

«Te l'ho detto. Ho paura. E ora è tornato il verde... devi partire, altrimenti intralci il traffico.»

A dare maggior peso alle mie parole, un furgoncino che stava dietro a Sinclair, suonò il clacson. Fu un suono villano, arrogante, quel genere di arroganza che in altri momenti, in altri luoghi, ci avrebbe fatto ridere.

Alla fine disse: «Va bene». Prese la maniglia per chiudere la portiera e poi ebbe un attimo di esitazione.

«In una cosa avevi ragione, Janey» disse.

«In che cosa?»

«Il bambino di Tessa. Era mio.»

Cominciai a piangere e le lacrime sul mio viso si mescolavano con la pioggia e non potevo far nulla per fermarle, non riuscivo a pensare a nulla da dire, non avevo un modo per aiutarlo. La portiera si richiuse con un colpo secco fra noi e un secondo dopo la macchina era ripartita, si muoveva veloce fra gli ostacoli, fra le luci, si dirigeva veloce, sempre più veloce verso il ponte.

Come in un incubo, senza una ragione al mondo, d'improvviso ebbi la testa piena di musica, stridula come un organetto ambulante: era il motivetto che aveva canticchiato Sinclair. Adesso che era troppo tardi, desiderai di essere rimasta con lui.

Tutti allegri ce ne andiamo,
sottobraccio, in compagnia,
su pei monti, giù al piano...

Ora lui aveva raggiunto il ponte e la Lotus affrontava la curva terribile come un cavallo affronta un ostacolo. Le luci di coda scomparvero oltre il margine della curva e un secondo dopo il silenzio della notte fu lacerato dall'urlo dei freni, degli pneumatici che slittavano sull'asfalto bagnato. Poi un fragore di metallo accartocciato, un crepitio di vetri infranti. Cominciai a correre, con i gesti inutili di chi corre in sogno, inciampando e sguazzando nelle pozzanghere, intorno a me un fiammeggiare di luci e i grandi segnali luminosi che dicevano PERICOLO, ma prima che avessi percorso il centinaio di metri del ponte venne il tonfo sordo di un'esplosione e, davanti ai miei occhi, l'intera notte si illuminò del chiarore rosseggiante delle fiamme.

Fu soltanto dopo il funerale di Sinclair che ebbi la possibilità di parlare con la nonna. Prima, ogni occasione ci era stata negata. Eravamo entrambe troppo sconvolte e istintivamente rifuggivamo persino dal pronunciare il suo nome, come se il solo parlare di lui potesse rompere gli argini del dolore che cercavamo con tanta cura di controllare. Inoltre c'era stato moltissimo da fare, da disporre, tantissime persone da vedere. Questo in particolare, tantissime persone da vedere. Vecchi amici, come i Gibson e Will, il giardiniere, e il pastore della chiesa e Jamie Drysdale, il falegname di Thrumbo, trasformato da un abito scuro e un'adeguata espressione di pia tristezza in un impresario di pompe funebri. C'erano state l'inchiesta della polizia e le telefonate della stampa. C'erano stati fiori e lettere, dozzine di lettere. Avevamo cominciato a rispondere a tutti, ma alla fine avevamo smesso, lasciando che la posta si ammonticchiasse sul grande vassoio nell'ingresso.

La nonna, appartenendo a una generazione che non ha paura dell'idea della morte, e che sa quindi affrontare impavida le sue trappole, aveva insistito perché ci fosse un vero funerale secondo le antiche tradizioni e aveva assistito a tutta la cerimonia senza un visibile tremito, non aveva ceduto neppure quando Hamish Gibson, in licenza dal suo reggimento, aveva suonato *I fiori della foresta* con la sua cornamusa. In chiesa aveva cantato gli inni insieme a tutti gli altri, era rimasta in piedi per più di mezz'ora a stringere mani, ricordando di ringraziare persino coloro che avevano compiuto il gesto più umile.

Ma ora era stanca. La signora Lumley, esausta per l'emozione e per essere stata così a lungo in piedi, si era ritirata in camera per dare un po' di riposo alle sue gambe gonfie, così, dopo aver acceso il caminetto nel salotto, avevo fatto sedere la nonna accanto al fuoco ed ero andata in cucina a preparare una tazza di tè.

In piedi, accanto al confortevole calore della cucina a legna, aspettando che l'acqua bollisse, fissavo, senza vederlo, il mondo grigio oltre la finestra. Era ottobre ora, un pomeriggio freddo e immobile. Non un alito di vento agitava le poche foglie rimaste ancora sugli alberi. Il lago rifletteva il grigiore del cielo ed era fermo come un lenzuolo d'argento; le colline in lontananza erano fiorite di tenui tinte violacee. Domani, forse, o il giorno seguente, si sarebbero ricoperte del primo gelo, della prima neve – faceva già abbastanza freddo – e saremmo stati in inverno.

L'acqua bollì, preparai il tè e lo portai in salotto; il tintinnio delle tazze e il crepitare del fuoco davano una sensazione di conforto, come sempre fanno le piccole cose consuete di fronte alla tragedia.

La nonna stava lavorando a maglia, un berretto di lana bianco e rosso da bambino, destinato, lo sapevo, al mercatino natalizio della chiesa. Pensai che volesse essere lasciata in pace e così posai la mia tazza vuota, mi accesi una sigaretta e mi misi a leggere il giornale. Ero immersa nella recensione di una nuova commedia quando lei improvvisamente parlò.

«Mi sono sentita molto in colpa, Jane. Avrei dovuto parlarti di Aylwyn quel giorno che ci siamo fermate a chiacchierare in giardino e tu mi hai domandato di lui. Ero sul punto di dirti tutto, ma poi qualcosa mi fece cambiare idea. È stato un errore da parte mia.»

Avevo abbassato il giornale; lo ripiegai e lo misi in disparte. Il suono dei suoi ferri era un ticchettio gentile; non aveva alzato gli occhi dal lavoro.

Dissi: «Sinclair me ne ha parlato...».

«Davvero? Pensavo che forse lo avrebbe fatto. Era una cosa molto importante per lui, importante anche che tu lo sapessi. Ne sei rimasta sconvolta?»

«Perché avrei dovuto?»

«Per un buon numero di ragioni. Perché era disonesto. Perché era stato in prigione. Perché io ho tentato di nascondere ogni cosa a voi tutti.»

«Probabilmente è stato meglio che sia rimasto tutto nascosto. Saperlo non avrebbe giovato a nessuno di noi. E neppure a lui.»

«Ho sempre pensato che tuo padre te ne avesse parlato.»

«No.»

«È stato molto bello da parte sua... lui sapeva quanto volevi bene a Sinclair.»

Posai il giornale sul tavolino e mi lasciai scivolare sul tappeto accanto a lei. Un posto adatto alle confidenze. «Ma perché Aylwyn *era* così? Perché non era come te?»

«Era un Bailey» rispose la nonna con semplicità. «E loro erano tutti dei deboli, irresponsabili, ma dotati di un grandissimo fascino... senza un soldo e meno ancora con l'idea di guadagnarne o di mettere da parte quello che avevano.»

«Anche tuo marito era così?»

«Oh, sì.» Sorrise fra sé e sé, come se ricordasse un gioco lontano. «Sai quale fu la prima cosa che accadde quando ci sposammo? Mio padre pagò tutti i suoi debiti. Ma non gli ci volle molto per farne degli altri.»

«Tu lo amavi?»

«Pazzamente. Ma mi resi conto ben presto di aver sposato un ragazzo del tutto irresponsabile e senza la minima intenzione di correggersi.»

«Ma sei stata felice.»

«Morì tanto presto dopo il nostro matrimonio, che non ebbi il tempo di essere altro che felice. Ma poi mi resi conto che dovevo dipendere solo da me stessa e decisi che sarebbe stato meglio per i miei figli se avessi ricominciato una nuova vita, lontano dai Bailey. Così comperai Elvie e allevai qui i ragazzi. Avevo creduto che, così facendo, tutto sarebbe stato diverso. Ma, sai, l'ambiente non basta a cancellare completamente l'ereditarietà, qualunque cosa dicano gli psicologi dell'infanzia. Ti ho detto di Aylwyn. Lo guardavo crescere e diventare tale e quale suo padre e non c'era nulla che io potessi fare per evitarlo. Quando fu un giovanotto andò a Londra e trovò un impiego, ma in brevissimo tempo si trovò immerso in guai finanziari. Lo aiutai, naturalmente, e continuai ad aiutarlo fin che fu possibile. Ma venne il giorno in cui non potei più farlo. Aveva manipolato delle azioni o comunque fatto delle transazioni illecite e il suo principale decise, a buona ragione, che la cosa riguardava la polizia. Alla fine riuscii a convincerlo a rinunciare a un'azione giudiziaria ed egli acconsentì a non dire nulla, a patto che Aylwyn desse la sua parola di non lavorare più nella City di Londra. Fu per questa ragione che Aylwyn decise di trasferirsi in Canada. Ma tutto si ripeté puntualmente anche laggiù; però questa volta il povero Aylwyn non ebbe la stessa fortuna. Le cose sarebbero state diverse, sai, Jane, se avesse sposato una brava ragazza con un po' di buon senso, con i piedi per terra e forza di carattere; questo avrebbe costretto anche lui a tenere i piedi per terra. Ma Silvia era una testolina vuota, incosciente come lui, erano come due bambini. Dio solo sa perché lei abbia voluto sposarlo; forse pensava che fosse ricco. Certo non si può credere che lo amasse, altrimenti non avrebbe lasciato lui e il bambino come fece, a poco più di un anno dal matrimonio.»

«Perché Aylwyn non tornò mai dal Canada?»

«Per via di Sinclair. Talvolta l'immagine paterna può essere meglio che il padre in persona. Sinclair è...» si corresse, con un lieve tremito nella voce «Sinclair era un altro Bailey. È incredibile come un solo tratto negativo del carattere possa ripetersi per generazioni e generazioni nella stessa famiglia.»

«Vuoi dire la passione del gioco e tutto il resto?»

«Sinclair te ne ha parlato, vero?»

«Un po'.»

«Non ne aveva alcuna necessità, sai. Aveva un buon impiego, un ottimo stipendio, ma non era assolutamente in grado di resistere alla tentazione. E il fatto che noi questo non lo possiamo capire non deve renderci meno caritatevoli, anche se talvolta penso che per Sinclair fosse tutto ciò che contava nella vita.»

«Eppure amava tornare a Elvie.»

«Solo di tanto in tanto. Non aveva per Elvie lo stesso attaccamento che aveva tua madre... o che hai tu. In effetti» proseguì cominciando un nuovo ferro «qualche tempo fa decisi che sarebbe stata una buona idea che Elvie un giorno appartenesse a te. Ti farebbe piacere?»

«Io... non so...»

«Questa era la vera ragione per cui ci tenevo tanto che tuo padre ti lasciasse tornare a casa, e per cui l'ho bombardato di lettere, alle quali quel disgraziato non si è dato mai la pena di rispondere. Volevo parlare con te di Elvie.»

«È una splendida idea» risposi «ma il pensiero di possedere delle cose mi spaventa... Non credo di desiderare tutte le responsabilità di una proprietà come Elvie. E non sarei più libera di andarmene e fare quello che voglio.»

«Questo mi sembra da pusillanime e mi fa anche pensare al modo di ragionare di tuo padre. Se lui avesse sentito di più il senso della proprietà, a quest'ora avrebbe messo delle radici e sarebbe stata una buona cosa. Ma tu non vuoi avere delle radici, Jane? Non vuoi sposarti e avere una famiglia?»

Guardai le fiamme nel caminetto e pensai a tante cose. A Sinclair e a mio padre... e a David. E pensai a tutti i paesi del mondo che avevo visto e a tutti quelli che speravo tanto di poter ancora vedere. E pensai anche ai bambini a Elvie, i miei figli, allevati e cresciuti in questo luogo perfetto, e immaginavo che avrebbero fatto tutte le cose che Sinclair e io avevamo fatto nella nostra infanzia...

Alla fine dissi: «Non so veramente che cosa voglio. E questa è la verità».

«Non mi aspettavo tu lo sapessi. E oggi, poiché nessuno di noi è nello stato d'animo adatto per ragionare serenamente non è certo il momento migliore per discuterne. Ma ci dovresti riflettere, Jane. Valutare i pro e i contro. Abbiamo tutto il tempo che vogliamo per parlarne con calma.»

Un ciocco si spezzò e cadde nella brace. Mi alzai e

ne misi un altro sul fuoco e, dal momento che ero in piedi, mi chinai a prendere il vassoio del tè per portarlo in cucina; ma giunta alla porta, mentre stavo armeggiando con il vassoio e la maniglia, mi giunse di nuovo la voce della nonna.

«Jane.»

«Sì?»

Con il vassoio in mano mi volsi a guardarla. Aveva smesso di lavorare a maglia e ora si stava togliendo gli occhiali e vidi l'azzurro intenso dei suoi occhi nel pallore del suo viso. Non l'avevo mai vista così vecchia.

«Jane... ti ricordi, l'altro giorno, stavamo parlando di quell'amica di Sinclair, Tessa Faraday?»

Le dita mi si strinsero intorno all'impugnatura del vassoio e le nocche si fecero bianche. Sapevo che cosa sarebbe accaduto ora e pregai perché non accadesse.

«Sì.»

«Ho letto sul giornale che è morta. Si parla di una dose eccessiva di barbiturici. L'hai letto?»

«Sì, l'ho letto.»

«Non me ne hai parlato.»

«Sì, lo so.»

«Era... aveva qualcosa a che vedere con Sinclair?»

Attraverso la stanza i nostri occhi si incontrarono, gli sguardi si fermarono. Avrei dato l'anima in quel momento per essere capace di mentire, mentire in modo convincente. Ma non sapevo farlo e la nonna mi conosceva troppo bene. Non avevo una sola speranza al mondo di cavarmela con una bugia.

«Sì» risposi «è così.» E poi aggiunsi: «Aspettava un figlio da lui».

Gli occhi della nonna si colmarono di lacrime e fu la prima e unica volta che la vidi piangere.

11

David venne il pomeriggio del giorno seguente. La nonna era occupata a scrivere lettere e io ero uscita in giardino e mi ero messa a spazzare le foglie morte, rammentando che una volta mi era stato detto come il lavoro manuale sia la miglior terapia nei momenti di sofferenza mentale.

Avevo già ammonticchiato un po' di foglie e volevo raccoglierle su una carriola che stava in giardino, quando la vetrata si aprì e David mi raggiunse. Mi raddrizzai per guardarlo meglio mentre attraversava il prato, alto e magro e con i capelli arruffati, e mi domandai in quel momento come avremmo potuto superare quegli ultimi terribili giorni senza di lui. Aveva pensato a tutto, organizzato tutto, sistemato tutto e aveva persino trovato il tempo di fare una telefonata a mio padre, per comunicargli personalmente la morte di Sinclair. E io sapevo che, qualunque cosa dovesse accadere a noi due, mai avrei smesso di essergli grata per il suo appoggio.

In un attimo mi fu accanto. «Jane, che cosa vuol fare con quel mucchietto di foglie?»

«Metterle nella carriola» risposi e mi accinsi a farlo.

Le foglie svolazzarono intorno e la maggior parte si disperse.

Lui disse: «Se riesce a mettere insieme un paio di pezzi di legno, farà molto più in fretta. Le ho portato una lettera...».

Si tolse di tasca una grossa busta e vidi che era di mio padre.

«Come l'ha avuta?»

«Era acclusa a quella che ha scritto a me. Mi ha chiesto di dargliela personalmente.»

Abbandonammo la scopa e la carriola e scendemmo giù lungo il giardino, scavalcando la siepe che portava nei campi; andammo verso il vecchio pontile, dove sedemmo l'una accanto all'altro in una posizione un po' pericolosa sul vecchio assito sconnesso. Aprii la lettera e la lessi ad alta voce per David.

Jane, mio tesoro,
sono rimasto profondamente addolorato per la morte di Sinclair e per tutto quello che hai dovuto passare, ma sono contento che tu possa stare vicino alla nonna in questo momento e ciò sarà senza dubbio il più grande conforto per lei.

Mi sento molto in colpa – e lo sono stato fin da quando sei partita – per averti lasciato tornare a Elvie senza metterti al corrente di ciò che riguardava tuo zio Aylwyn. Ma fra una storia e l'altra, non ultima la tua partenza precipitosa, non si è presentato il momento adatto per farlo. Io ne parlai tuttavia con David Stewart, che mi promise di occuparsi di te e tener d'occhio tutta la situazione...

Dissi: «Ma lei non mi ha mai detto nulla».

«Non era affar mio.»

«Ma lei sapeva.»

«Certo che sapevo.»

«E sapeva anche di Sinclair?»

«Sapevo che aveva perduto una quantità di denaro di sua nonna.»

«Ma c'è molto di peggio, David.»

«Che cosa intende dire?»

«Sinclair è morto lasciando un'enorme quantità di debiti.»

«Temevo che qualcosa del genere potesse accadere. Come lo sa?»

«Perché lui me lo ha detto. Mi ha detto moltissime cose prima di morire.» Tornai alla lettera.

La ragione per cui non avevo mai desiderato che tu tornassi a Elvie non era per ciò che tuo zio Aylwyn era stato, ma per ciò che temevo, a buona ragione, che Sinclair fosse a sua volta diventato. Dopo la morte di tua madre, la nonna suggerì che ti lasciassi con lei e, in effetti, questa poteva apparire la soluzione più ovvia e ragionevole. Ma c'era la questione di Sinclair. Sapevo quanto tu gli fossi affezionata e quanto egli significasse per te ed ero sicuro che, se tu avessi continuato a vederlo, sarebbe inevitabilmente venuto il giorno in cui ne avresti avuto il cuore spezzato o sofferto comunque la più terribile delusione. Entrambe le cose sarebbero state molto dolorose, se non addirittura disastrose, e così decisi di tenerti con me e portarti in America.

David mi interruppe. «Mi domando che cosa lo rendesse tanto sicuro della natura di Sinclair.»

Pensai al libro di Goldsmith *La Natura animata* e per un momento fui tentata di raccontare a David tutta la storia. Alla fine decisi di non farlo. Il libro non c'era più. Il giorno dopo la morte di Sinclair lo avevo tolto dal suo posto nell'armadio, lo avevo portato da basso e buttato nella caldaia, dove lo avevo guardato bruciare. Ora non v'era più alcuna traccia, del libro e di tutta quella storia. Per un ultimo gesto di lealtà verso Sinclair, era meglio che venisse dimenticato.

«Non lo so... Istinto, immagino. È sempre stato un uomo dotato di grande intuito. Non era possibile ingannarlo.» Continuai a leggere:

Questa è anche la ragione per cui tardai tanto a rispondere alle lettere di tua nonna e alle sue preghiere di lasciarti tornare a Elvie. Le cose sarebbero state diverse se Sinclair fosse stato sposato, ma sapevo che non lo era ed ero in preda alle più nere apprensioni.

Immagino che ora vorrai restare a Elvie per un po'. Qui gli affari vanno piuttosto bene. Sam Carter sta facendo per me un ottimo lavoro, così in questo momento io mi trovo, come si suol dire "in soldi" e potrei persino permettermi di mandarti un biglietto di ritorno per la California, basta una tua parola. Sento terribilmente la tua mancanza e così pure la sente Rusty. Mitzi la barboncina è un assai modesto compenso per la tua assenza, anche se Linda ha deciso che quando i tempi saranno maturi e la luna nel quarto giusto, Mitzi e Rusty dovranno innamorarsi follemente l'una dell'altro e formare una famiglia, ma è mia meditata opinione che il risultato di una simile unione debba essere qualcosa a cui non è neppure dato di pensare.

Linda sta bene, adora Reef Point e quella che lei chiama la vita semplice e, con mia grande sorpresa, ha cominciato a dipingere. Non so se ci si possa fidare del mio istinto, ma ho l'impressione che possa fare un ottimo lavoro. Chissà, potrebbe anche darsi che lei un giorno possa garantirmi quello stile di vita al quale vorrei abituarmi. Che è molto di più di quanto io abbia mai saputo fare per te.

Mio tesoro, mia adorata bambina,

con affetto, tuo padre *envelope*

Ripiegai in silenzio la lettera e la rimisi nella busta e quindi la infilai nella tasca della giacca. Dopo un momento dissi lentamente: «Si direbbe quasi che stia tentando di convincerla a sposarlo. O forse invece è lei che cerca di convincere lui a sposarla. Non sono sicura di quale sia l'ipotesi più plausibile».

«Forse la cosa è reciproca. Ti piacerebbe se questo avvenisse?»

«Sì, credo di sì. Allora non mi sentirei più responsabile per lui. Sarei libera.»

La parola lasciò intorno a sé una sensazione di vuoto molto deludente. Faceva molto freddo su quel piccolo molo e d'improvviso rabbrividii; David mi passò un braccio intorno alle spalle e mi strinse nella cerchia calda delle sue braccia. Mi sentii bene, la testa appoggiata alla sua solida spalla.

«In tal caso» disse lui «forse questo è il momento giusto per chiederti se vuoi sposare un avvocato di campagna mezzo orbo, che ti adora fin dal primo istante in cui ti ha visto.»

«Non dovresti parlare molto per convincermi» dissi.

Le sue braccia si strinsero ancor più intorno a me e sentii le sue labbra sfiorarmi i capelli. «Non ti dispiacerebbe vivere in Scozia?»

«No. Purché tu ti faccia alcuni clienti a New York e in California e magari anche in altre parti del mondo e prometta solennemente di portarmi con te ogni volta che devi andare a trovarli.»

vuoto – empty

«Questo non dovrebbe essere troppo difficile.»

«E sarebbe molto bello se potessi avere un cane.»

«Certo che lo avrai... non un altro Rusty, naturalmente, lui resterà unico. Ma forse uno di provenienza altrettanto interessante e con la stessa intelligenza e simpatia.»

Mi rigirai nelle sue braccia e affondai il viso sul suo petto. Per un terribile istante credetti che mi sarei messa a piangere, ma era ridicolo, la gente non piange quando è felice. Questo avviene soltanto nei libri. «Ti amo» dissi e David mi tenne stretta sul suo cuore. Alla fine mi misi davvero a piangere, ma non importava.

Restammo a lungo lì seduti, avvolti nel cappotto di David, facendo i progetti più assurdi – come sposarsi nella missione di Reef Point o farmi cucire un abito da sposa da Isabel MODE McKenzie –, che inevitabilmente si dissolsero in grandi risate. Così lasciammo quei progetti e ne facemmo altri, ed eravamo così intenti che non ci accorgemmo neppure che la luce del giorno andava scemando e che l'aria della sera si faceva sempre più fredda. Alla fine fummo disturbati dalla nonna, che aprì la finestra e ci chiamò dicendo che il tè era pronto. Ci alzammo, un po' indolenziti dal freddo e ci dirigemmo verso casa.

Il giardino era immerso nel crepuscolo e pieno di ombre. Non avevamo più parlato di Sinclair, ma d'improvviso avvertii la sua presenza in ogni angolo, in ogni cosa, non l'uomo che era stato, ma il bambino che ricordavo, il compagno della mia infanzia. Correva a piedi nudi attraverso l'erba del prato e dall'ombra sotto gli alberi veniva il mormorio lieve delle foglie cadute. E mi domandai se Elvie si sarebbe mai liberata di lui e questo mi rattristò, perché qualunque cosa accadesse, e chiunque vi abitasse, non volevo che fosse un rifugio di fantasmi.

David, che mi precedeva, si era fermato per raccogliere la scopa e la carriola e le stava riponendo in un angolo, sotto l'acero. Ora mi aspettava, l'alta figura sottile che si stagliava contro le luci che venivano dalla casa.

«Che cosa c'è, Jane?»

Glielo dissi. «Fantasmi.»

«Non ci sono fantasmi» rispose e io mi guardai di nuovo intorno e capii che aveva ragione. Solo cielo e acqua e il vento che sussurrava tra le foglie. Non c'erano fantasmi. Ripresi a camminare e lui strinse la mia mano e insieme entrammo in casa per il tè.

I MITI

John Grisham, *Il socio*

G. García Márquez, *Dell'amore e di altri demoni*

Kuki Gallmann, *Sognavo l'Africa*

Erich Fromm, *L'arte di amare*

Ken Follett, *I pilastri della terra*

Wilbur Smith, *Sulla rotta degli squali*

Rosamunde Pilcher, *Settembre*

Leo Buscaglia, *Vivere, amare, capirsi*

Dominique Lapierre, *La città della gioia*

Thomas Harris, *Il silenzio degli innocenti*

Peter Høeg, *Il senso di Smilla per la neve*

Italo Calvino, *Il barone rampante*

Danielle Steel, *Star*

Stefano Benni, *Bar Sport*

Luciano De Crescenzo, *Storia della filosofia greca*

Giovanni Paolo II, *Varcare la soglia della speranza*

Patricia Cornwell, *Postmortem*

Sveva Casati Modignani, *Il Cigno Nero*

Jack Kerouac, *Sulla strada*

Hermann Hesse, *Narciso e Boccadoro*

Terry Brooks, *La Spada di Shannara*

Alberto Bevilacqua, *I sensi incantati*

Andrea De Carlo, *Due di due*

Scott Turow, *Presunto innocente*

Marcello D'Orta, *Io speriamo che me la cavo*

G. García Márquez, *Cent'anni di solitudine*

Giorgio Forattini, *Andreácula*

George Orwell, *La fattoria degli animali*

Marco Lombardo Radice, Lidia Ravera, *Porci con le ali*

Erich Fromm, *Avere o essere?*

Ernest Hemingway, *Il vecchio e il mare*

John Grisham, *L'uomo della pioggia*

Hermann Hesse, *Il lupo della steppa*

P.D. James, *Sangue innocente*

Sidney Sheldon, *Padrona del gioco*

Stephen King, *Il gioco di Gerald*

Ezio Greggio, *Presto che è tardi*

Enrico Brizzi, *Jack Frusciante è uscito dal gruppo*

Kuki Gallmann, *Notti africane*

Patricia Cornwell, *Insolito e crudele*

Barbara Taylor Bradford, *La voce del cuore*

Francis Scott Fitzgerald, *Il grande Gatsby*

Ken Follett, *Un luogo chiamato libertà*

Stefano Zecchi, *Estasi*

Tiziano Sclavi, *Dylan Dog*

Luciano De Crescenzo, *Ordine e Disordine*

Frederick Forsyth, *Icona*

Paolo Maurensig, *Canone inverso*

Fabio Fazio, *Anima mini tour*

Ken Follett, *Il terzo gemello*

Thomas Keneally, *La lista di Schindler*

Omero, *Odissea*

Susanna Tamaro, *Per voce sola*

Ian McEwan, *Lettera a Berlino*

Gino & Michele, Matteo Molinari, *Anche le formiche nel loro piccolo si incazzano*

Madre Teresa, *Il cammino semplice*

Roberto Benigni, *E l'alluce fu*

Dean Koontz, *Intensity*

D. Lapierre - L. Collins, *Stanotte la libertà*

Bonelli - Galleppini, *Tex la leggenda*

Enzo Bettiza, *Esilio*

Patricia Cornwell, *Quel che rimane*

G. García Márquez, *Notizia di un sequestro*

Rosamunde Pilcher, *Le bianche dune della Cornovaglia*

Andrea De Carlo, *Uccelli da gabbia e da voliera*

Ken Follett, *Notte sull'acqua*

Aldo Giovanni e Giacomo, *Nico e i suoi fratelli*

James Ellroy, *L.A. Confidential*

Anthony de Mello, *Sadhana*

Carlo Castellaneta, *Notti e nebbie*

Walt Disney, *Paperinik il vendicatore*

Christian Jacq, *Ramses. Il figlio della luce*

Jorge Amado, *Teresa Batista stanca di guerra*

D. Lapierre - L. Collins, *Gerusalemme, Gerusalemme!*

John Grisham, *Il partner*

Christian Jacq, *Ramses. La dimora millenaria*

Susanna Tamaro, *Anima mundi*

Willy Pasini, *La qualità dei sentimenti*

Enrico Brizzi, *Bastogne*

Christian Jacq, *Ramses. La battaglia di Qadesh*

P.D. James, *Morte sul fiume*

Patricia Cornwell, *Il cimitero dei senza nome*

Walt Disney, *Pippo. Pensieri in libertà*

Christian Jacq, *Ramses. La regina di Abu Simbel*

Rosamunde Pilcher, *Neve d'aprile*

Luciano De Crescenzo, *Nessuno*

Christian Jacq, *Ramses. L'ultimo nemico*

Maria Bellonci, *Rinascimento privato*

Patricia Cornwell, *Il nido dei calabroni*

Alberto Bevilacqua, *Lettere alla madre sulla felicità*

Margaret Mazzantini, *Il catino di zinco*

Heinrich Harrer, *Sette anni nel Tibet*

Martin Cruz Smith, *Gorky Park*

Omero, *Iliade*

Patricia Cornwell, *Causa di morte*

Mary Higgins Clark, *Testimone allo specchio*

Scott Turow, *La legge dei padri*

David Baldacci Ford, *Biglietto vincente*

Alberto Bevilacqua, *Gialloparma*

G. García Márquez, *L'amore ai tempi del colera*

Rosamunde Pilcher, *Ritorno a casa*

Andrea De Carlo, *Di noi tre*

Daniele Luttazzi, *Cosmico!*

John Grisham, *L'avvocato di strada*

Andrea Camilleri, *Un mese con Montalbano*

Rosamunde Pilcher, *La casa vuota*

Ken Follett, *Una fortuna pericolosa*

Angela e Luciana Giussani, *I grandi colpi di Diabolik*

D. Lapierre - L. Collins, *Stanotte la libertà*

Manuel Vázquez Montalbán, *Lo strangolatore*

Bonelli - Galleppini, *Tex. Mefisto il Signore del Male*

Patricia Cornwell, *Morte innaturale*

P.D. James, *Una certa giustizia*

John Grisham, *Il Rapporto Pelican*

Cathleen Schine, *L'evoluzione di Jane*

Sveva Casati Modignani, *Lezione di tango*

Walt Disney, *Zio Paperone*

Thomas Harris, *Drago Rosso*

Philippe Delerm, *La prima sorsata di birra*

Dominique Lapierre, *Mille soli*

Luciano De Crescenzo, *Il tempo e la felicità*

Andrea De Carlo, *Macno*

Robert Harris, *Archangel*

Paolo Maurensig, *Venere lesa*

Tom Wolfe, *Il falò delle vanità*

Robert Mawson, *La bambina Lazarus*

Leonardo Pieraccioni, *Trent'anni, alta, mora*

Patricia Cornwell, *Punto di origine*

Rosamunde Pilcher, *Profumo di timo*

Stephen King, *Rose Madder*

Ken Follett, *Il Martello dell'Eden*

Mary Higgins Clark, *Sarai solo mia*

Abraham B. Yehoshua, *Ritorno dall'India*

G. García Márquez, *Il generale nel suo labirinto*

John Grisham, *Il testamento*

David Baldacci, *La semplice verità*

Robert Harris, *Fatherland*

Max Bunker, *Alan Ford contro Gommaflex*

Carlo Castellaneta, *Villa di delizia*

Diego Cugia, *Jack Folla. Alcatraz*

Thomas Harris, *Hannibal*

Christian Jacq, *Il faraone nero*

Kuki Gallmann, *La notte dei leoni*

Luciano De Crescenzo, *Le donne sono diverse*

Frederick Forsyth, *Il fantasma di Manhattan*

Ernest Hemingway, *Vero all'alba*

Christopher Reich, *Il conto cifrato*

Hans Magnus Enzensberger, *Il mago dei numeri*

Stephen King, *La bambina che amava Tom Gordon*

Danielle Steel, *Il fantasma*

Nelson DeMille, *Morte a Plum Island*

Walt Disney, *Macchia Nera (e tutti i cattivi)*

Rosamunde Pilcher, *Sotto il segno dei Gemelli*

Pietro Citati, *La luce della notte*

Andrea De Carlo, *Nel momento*

Andrea Camilleri, *Gli arancini di Montalbano*

Patrick Redmond, *L'allievo*

Carlo Lucarelli, *L'isola dell'Angelo Caduto*

Alberto Bevilacqua, *Sorrisi dal mistero*

Fruttero & Lucentini, *La donna della domenica*

Patricia Cornwell, *Croce del Sud*

Luciano De Crescenzo, *La distrazione*

Fichi d'India, *Amici ahrarara*

Mary Higgins Clark, *Accadde tutto in una notte*

David Baldacci, *Sotto pressione*

Stephen King - Peter Straub, *Il talismano*

Questo volume è stato stampato
presso Mondadori Printing S.p.A.
Via Bianca di Savoia n. 12 – Milano
Stabilimento NSM
Viale De Gasperi n. 120 – Cles (TN)
Stampato in Italia – Printed in Italy.

I MITI
Periodico quindicinale:
N. 44 del 27/3/2001
Direttore responsabile: Stefano Magagnoli
Registr. Trib. di Milano n. 560 del 17/9/1999

ISSN 1123-8356

49208
2001